KB103826

매일 조금씩 더 용감해지는 중이야

매일 조금씩 더 용감해지는 중이야

이혜원

프롤로그

착한 사람으로 자라버린 어른이들에게

영화 〈트루먼 쇼〉를 보았을 때의 충격을 잊지 못한다. 한 작은 섬에서 보험회사원으로 일하며 평범하지만 행복한 매일을 살아가던 트루먼. 그의 삶 주변에 어느 순간 이상한 점들이 발견되고 트루먼 스스로 자기가 살고 있는 세상을 의심하게 되면서 영화는 극적으로 전개된다. 가족도, 친구도, 회사도 모두가 완벽하게 세팅된 가짜의 삶. 영화 속 〈트루먼 쇼〉의 시청자들은 오랜 시간 트루먼의 짜여진 삶을 즐기며 바라봤지만 결국은 트루먼이 바다 위 태풍을 뚫고 진실의 벽을 마주하기를, 오랜 시간 닫혀져 있던 가짜 세상의 문을 열고 용기 있게 걸어 나가기를 진심으로 응원했다.

영화를 본 이후 내 주변의 세상 역시 가짜일까 봐 두려움을 느꼈다. 당시 어린 중학생이었던 나의 삶에 가족, 학교, 집 그 무엇도 내 선택으로 이루어진 것은 없었기 때문이다. 그 두려움과 의심은 살면서 수시로 고개를 들었지만 어른들의 달콤한 칭찬과 평가에 길들여지며 그 의심은 서서히 잠들어 갔다. 결국 나는 사회에서 평균 이상으로 평가받는 범주 안에서 착한 아이, 착한 학생, 착한 회사원, 착한 여자가 되는 코스를 안전하게 밟아왔고 어느덧 마흔을 바라보는 나이가 되었다.

어느 순간부터 내가 속해 있는 세상에 작은 균열이 하나씩 생기기 시작했다. 아니, 균열이 생긴 쪽은 세상이 아니라 나였다. 회사원으로 성실하게 열심히 일하며 야근과 주말 근무가 일상이 되어버린 어느 날, 퓨즈가 나가버린 것처럼 픽하고 정신을 잃고 쓰러졌다. 검사를 해도 몸에는 이상이 없다는 결과만 나왔다. 그런 현상은 13년이 넘는 회사 생활 동안 가끔, 때로는 자주 찾아왔다. 타인에게 인정받는 꽤 괜찮은 삶을 살고 있다고 자부했건만 내 몸과 마음은 괜찮지 않은 모양이었다. 그제야 무언가 잘못되었다는 것을 깨달았다. 뒤늦게나마 내 주변 세상을 하나씩 의심해 보기 시작했고 오랜 방황의 시간을 거쳐 먼저 회사라는 세상의 문을 열고 뛰쳐나왔다.

내가 의심해 봐야 할 세상은 회사뿐만이 아니었다. 어린 시절부터 현재에 이르기까지 내가 역할을 맡고 있는 모든 세상들을 재점검해보고 싶었다. 어린 시절의 나는 어떤 막내딸로 자라왔는지, 학교에서의 나는 어떤 아이로 육성되어 왔는지, 여자로서의 나는 아내이자 며느리로서 어떤 태도를 취하고 있는지, 아직 내가 가보지 않은 길인 엄마의 삶은 어떤 고민과 숙제를 안고 있는지, 사소할 수 있지만 나에게 영향을 준 에피소드들을 통해 나의 심리와 욕구를 알아가고자 했다. 그 과정을 통해 과연 내가 살고 있는 모든 세상이 진정으로 내가 선택한 것인지, 최선의 선택이었는지 확인하고 싶었다.

혹시나 내 글이 여성으로서 겪는 사회에서의 차별과 부조리를 이야기하는 것처럼 비춰질까 봐 조심스러웠다. 나는 사회의 불합리함에 목소리를 높이기보다는 주류 사회에 적절히 순응하며 인정받고 칭찬받는 소위 착하고 말 잘 듣는 부류에 가까웠기 때문이다. 그럼에도 불구하고 용기를 내어 글을 쓰게 된 이유는 나처럼 가족에게는 착한 아이로, 타인에게는 착한 사람으로 평가받으며 살아오다 어느 날 문득 행복하지 않은 자신을 발견하는 착한 어른이들이 어딘가에 존재한다는 사실을 알고 있기 때문이다.

나 역시 공감과 깨달음을 주는 책들로 인해 인생의 다양한 장면에서 용기를 내며 한 발짝씩 나아갈 수 있었다. 내 책이 단 한 사람에게라도 공감과 위로를 줄 수 있다면 내가 사랑하는 많은 책으로부터 받은 영감의 자산을 조금이나마 되갚을 수 있을 것이다. 선택할 줄 아는 용감한 어른의 세상으로 나아가고자 하는 모든 착한 사람들에게 이 책이 잔잔한 용기의 불씨가 되었으면 한다.

착하지만 고민할 줄 아는 사람으로 키워 주신 부모님과 가족들에게 감사드립니다.

어떤 세상을 선택하더라도 내가 여전히 좋은 사람일 것이라 믿어 의심치 않는 내 인생의 보증수표 남편에게 감사합니다.

글을 쓰는 동안 내 안에 작은 생명을 움트고 엄마라는 또 하나의 세상으로 나아가게 준비시키는 소중한 내 아기 비룡이에게 차마 말로 표현하기 어려운 경외감과 사랑을 전합니다.

비룡이의 삶에 용기라는 씨앗을 뿌려줄 수 있는 충분히 용감한 나로 거듭 피어나기를 소망합니다.

2024년 3월

오늘도 조금씩 용감해지는 이혜원

차 례

4장 착한 엄마

5장 용감한 어른

1장

착한 회사원

당신의 장래 희망은 '회사원' 입니까?

13년을 넘게 다닌 회사의 마지막 출근 날. 나는 불 꺼진 사무실에 홀로 앉아 여전히 일을 하고 있었다. 오랫동안 애정을 갖고 다닌 회사인 만큼 업무에 지장을 주지 않기 위해 두 달 전에 퇴사를 통보했지만 결국 마지막 날까지도 후임자가 정해지지 않은 것이다. 입사 이후 나를 백업해 주는 동료 없이 늘 혼자 일했다. 같이 일하는 유관부서들에게 내 퇴사를 알리고 나서는 오히려 상황이 더 심각해졌다. 혹시나 내 일을 자신들이 더 떠안게 될까봐, 혹시나 사람을 우리 팀에 빼앗길까봐 철벽 방어 태세로 나섰다. 다 같이 준비해야 하는 프로젝트가 코앞이었지만 전혀 협조가 되지 않았다. 웃으며 잘 지내던 동료들이었지만 내가 퇴사하게 되자 자신들에게 불똥이 튈까 봐 입장이 바뀌어버린 것이다. 그들의 입장도 충분히 이해되었다. 월급쟁이가 일을 더 한다고 월급을 더 받는 것도 아닌데 누가 덤터기를 쓰고 싶을까.

결국 나는 출근 마지막 날까지 하나라도 일을 더 쳐내기 위해 고군분투해야만 했다. 13년을 다닌 회사인데 엉망으로 마무리하고 싶지는 않았다.

사회생활이라는 것을 시작한 유치원 시절부터 회사원으로 살아온 지금까지 나는 언제나 모범생, 모범 사원이었다. 교과서대로 열심히 공부하고, 어른들이 하라는 대로 열심히 하면 인정받고 보상받는 시스템 밑에서 살아왔다. 과장까지 일사천리로 승진했으며 나보다 나이 많은 팀원들이 포함된 조직을 맡아 리더 역할도 해보았다.

하지만 시간이 지나면서 나는 회사라는 조직과 일에 대해 조금씩 회의감을 느끼고 있었다. 어떤 일은 보람차고 재미있었지만, 어떤 일은 가치 창출과는 크게 상관없는 일들이었다. 불필요하다고 생각되는 일에 시간과 예산을 써야 할 때 나는 상당한 무력감을 느꼈다. 직급이 쌓이면 쌓일수록 그런 종류의 일들은 점점 많아져 갔다. 나의 에너지가 불필요한 곳으로 끊임없이 낭비될수록 회의감은 커져만 갔다.

어느 날이었다. 고된 해외 출장 후 멍한 머리로 다음 프로젝트를 위해 아등바등하다가 결국 하루는 단단히 몸살이 났다. 종종 있는 일이었다. 쏟아지는 일들 속에서 도무지 휴가를 낼 여유가 생기지 않아 버티고 버티다가 종종 방전되곤 했다. 도저히 일어날 수가 없어 급히 오전 휴가를 내고 끙끙대다가, '내가 과연 무엇을 위해서 이렇게 일하는 거지?' 라는 진지한 고민에 휩싸였다. 회사에서 목표할 수 있는 것을 여전히 찾을 수 없었다. 내가 하는 일이 세상에 가치 있는 일이라는 확신도 희미해져가고 있었다.

큰 회사에 다닌다는 것의 가장 큰 장점은 역시 안정적인 급여와 복지다. 어떤 일이 있어도 매달 고정적인 수입이 있다는 것은 큰 심리적 안정을 가져다준다. 회사 사람들은 연봉 인상률을 가지고 언제나 옥신각신 볼멘소리를 해댔지만, 적당히 먹고 살기에는 적지 않은 액수였다. 사고 싶은 것을 사고, 가고 싶은 곳에 여행을 간다. 사람들 말로는 사내 부부인 남편과 내 연봉을 합하면 작은 중소기업 정도는 된다고도 했다. 결혼할 때도 당당했다. 남편보다 1년 정도 먼저 입사한 덕에 월급도 내가 조금 더 많았다. 회사의 신용이 곧 나의 신용이었다. 신용평가사에서 평가하는 내 신용도는 상위 5%. 원하면 은행 대출도 막힘없이 받을 수 있다. 회사의 명함이 곧 내 사회적 위치였다. 업체 선정 권한을 가진 나에게 나이가 지긋한 협력사 사장님들은 늘 깍듯하게 고개를 숙였다. 회사에서 부여받은 내 작은 권한이 나를 사회에서 대접받게 했다.

급여소득자로서의 삶은 안정적이었지만 한계도 분명했다. 적지 않은 월급이었지만 은퇴까지 악착같이 버티고 모아도 경제적 자유를 얻을 정도로 충분한 액수는 아니었다. 회사원으로서의 삶을 지속하는 이상 한 달, 또 일 년을 살아내기 위해 회사에 대롱대롱 매달린 채 현실과 타협하며 매일을 견뎌야 할 것이었다. 일할 때 확실히게 일하고, 필요할 때 쉴 수 있는 주도적인 삶은 은퇴 전까지는 오지 않을 것이다. 은퇴 후에 선택할 수 있는 것은 제한적일 것이고, 일상은 작고 소박해질 것이다.

회사라는 이 간판을 떼고 나면 나라는 사람의 가치는 어떻게 평가될까? 알 수 없는 일이다. 회사를 통해 맺게 된 모든 관계에서 나라는 사람의 가치는 0이 되어버릴 가능성이 크다. 하지만 현재의 나를 고민스럽게 하는 것은 타인의 평가가 아닌 나 스스로에 대한 평가였다. 과연 나 스스로 가치 있다고 느끼는 일을 하고 있는지 묻는다면 대답은 '아니요'였다. 이유를 생각해 봤다. 내가 이 일을 하는 것은 나의 선택인가, 회사의 선택인가. 거기에 내 선택은 없었다. IMF 이후 역대급 취업난 속에서 대학교를 다닌 나는 감사하게도 나를 '선택해 준' 이 회사에 안도하며 지금까지 안주하고 있었던 것이다.

회사의 간판을 달고 이대로 살아간다면 당분간은 사람들에게 나름대로 인정받는 삶을 살 수 있을 것이다. 하지만 영원히 회사의 평가와 주변 사람들의 평가에 전전긍긍하며 다른 선택을 할 수 있는 기회를 저당 잡힌 채 가슴속에 물음표를 안고 살아갈 것이다. 지금까지 그랬던 것처럼 건강과 시간을 담보로 내 인생에서의 중요한 의사결정을 계속 후순위로 미루어야 할 것이다. 나 자신이 진정으로 선택하고 싶은 것이 무엇인지 귀를 기울일 시점이 다가오고 있었다.

내가 하는 일을 통해 세상이 조금 더 나아질 수 있었으면 한다. 일과 돈이라는 가치에 가족, 건강, 사랑, 시간과 같은 중요한 가치들이 매몰되지 않았으면 한다. 나와 비슷한 고민을 하는 또 다른 누군가에게 도움이 되는 일을 해나가고 싶다. 어린 시절부터 내 장래 희망이 그저 월급만 받으면 되는'회사원'이었던 적은 단 한 번도 없었기 때문이다.

공황장애와 두꺼비집의 관계

회사에 입사한 첫해인 2010년 어느 여름이었다. 지방 출장을 다녀와서 사무실에 복귀한 뒤 야근 중이었다. 여름 한낮에 몇 시간 동안 땡볕에 서 있었던 탓에 내 모든 세포는 과열된 상태였다.

같은 팀 선배인 김 대리에게 전화가 왔다. 팀장과 팀원들 몇 명이서 술자리를 갖고 있으니 일 마무리 하는대로 얼굴이라도 비추고 가라는 것이었다.

정식으로 첫 사회생활을 시작한 나는 주말 밤낮을 가리지 않고 무식하게 일하고 있었다. 회사의 사보를 만드는 일을 맡고 있던 나는 낮에 한 직원 인터뷰 기사를 서둘러 정리한 뒤 늦은 시간이었지만 김 대리가 알려준 회사 근처 술집으로 이동했다.

거기서 술을 몇 잔 마셨고 팀원들끼리 간 떡볶이집의 동그란 플라스틱 의자에 앉으려던 참이었다. 순간 명치 아래쯤에서부터 알록달록한 섬광을 동반한 빠른 두근거림이 시작되더니 눈앞이 하얘지며 온몸 구석구석 찌릿한 무언가가 쫘악 솟구치며 뻗쳤다.

다시 눈을 떴을 때는 동그란 플라스틱 의자와 함께 널부러져 있었고 나를 내려다보는 하얗게 질린 팀원들의 놀란 얼굴 몇 개가 보였다. 갑자기 픽, 전원이 나간 것처럼 정신을 잃었던 것이다.

그날 이후로 자연스러웠던 모든 일상들이 고장 나버렸다.

지하철을 탈 때면 심장이 미친 듯이 두근거리며 눈앞이 알록달록해졌다. 숨도 자연스럽게 쉴 수 없었다. 금방이라도 정신을 잃을 것 같은 공포감에 빨리 지하철이 서기만을 기도하다가 도망치듯 다음 역에서 내렸다. 플랫폼 벤치에 겨우 몸을 걸쳤다가 지하철역 화장실을 찾아 기어가다시피 했다. 낯선 인파들 사이에서 정신을 잃는 것만은 피해야 했다. 먹은 것도 없이 몸속에 있는 것을 끊임없이 게워 내고, 화장실 문고리를 잡고 온몸을 벌벌 떨며 핸드폰 연락처를 뒤졌다. 지금 연락하면 달려와 줄 사람이 누가 있을까, 바로 119를 불러야 하나 수십수백 번 고민했다. 얼마인지 모를 시간 동안 혼자 사투를 벌이다 머릿속이 말갛게 비워질 때쯤에서야 지하철역을 빠져나와 택시를 타고 가거나 집으로 돌아와야 했다.

대중교통을 탈 수 없었다. 택시를 타고 출퇴근해야 했고, 회사에서는 누군가와 마주 앉아서 이야기하는 것조차 힘들어졌다. 사람이 있는 모든 장소에서 내 심장은 불시에 요동치듯 날뛰었고, 순식간에 정신을 잃을 것 같은 공포감에 휩싸였다. 일을 하다 갑자기 응급실에 가는 날도 있었다.

원인을 찾기 위해 큰 병원을 돌아다니며 검진을 했다. 심장이나 내과적인 문제일 거라고 추측했지만 검사 결과는 모두 정상이었다. 아무리 검사를 해도 원인을 찾지 못하자 엄마는 용하다는 점집이며 스님을 찾아갔다. 상갓집 음식을 먹고 귀신이 씌인 것이라는 처방이 나오기도 했다. 엄마는 절대로 상갓집에는 가지 말라고 했다.

외출 자체가 공포가 되면서 퇴사를 고민하는 지경에 이르렀다. 내 몸 상태가 최우선이 되다 보니 한동안 주말 근무와 야근은 어쩔 수 없이 피했다.

지옥 같았던 몇 달의 시간이 흐르고 찬바람이 스며들기 시작하자 다행히도 증상의 빈도는 조금씩 잦아들고 있었다. 하지만 여전히 사람 많은 곳이나 고속버스 안처럼 중간에 도망치기 어려운 장소는 피하게 되었고, 방심할 때마다 1년에 한두 번씩은 꼭 증상이 찾아왔다.

내 증상의 정체가 무엇인지 알게 된 것은 개그맨 정형돈 씨가 공황장애로 방송활동을 중단한다는 기사를 읽게 되었을 때였다. 그 당시만 하더라도 공황장애나 불안장애에 대해 대중들에게 알려진 바가 거의 없었다. 기사에서는 공황장애의 증상이 무엇인지 간략히 설명하고 있었고 내 일상을 송두리째 쥐고 흔든 녀석의 정체 역시 그놈이라는 것을 활자 하나하나가 분명히 가리키고 있었다.

내가 다닌 회사는 전력 계통 운영에 필요한 기계, 장비들과 시스템을 만드는 곳이었다. 회사의 가장 핵심 제품 중 하나는 전력 차단기였다.

차단기는 전기 회로에 과부하가 걸리거나 비정상적으로 많은 전류가 갑자기 흐르게 될 때 사고를 막기 위해 자동으로 회로를 정지시키는 장치이다. 흔히 '두꺼비집'이라고 부르는 누전 차단기가 그중 하나다. 어느 날 갑자기 두꺼비집이 내려가 집 전체가 정전이 된 경험이 있을 것이다. 집안 어딘가에서 누전이 되었거나 또 다른 전기적인 문제가 감지되어 두꺼비집이 전기 공급을 순간적으로 차단한 것이다. 이상 상태로 전기가 계속 흐르면 감전이나 화재 등의 큰 사고로 이어질 수 있다. 따라서 전력이 공급되는 모든 계통의 경로 마디마디에는 용량에 맞는 차단기가 필수로 설치되어야만 한다.

공황장애 증상이 찾아올 때가 언제인지 뒤돌아보았다. 내 몸과 마음이 힘들고 지쳐 있다는 것을 인지하지 못한 채 끊임없이 일로 나를 몰아붙여 과부하가 걸렸을 때였다. 또는 110V짜리 플러그를 220V용 콘센트에 꽂는 일처럼 감당하기 어렵거나 불편한 인간관계 속에 나를 억지로 욱여넣을 때였다.

어쩌면 공황장애는 필요한 순간에 탁 하고 내려가는 두꺼비집처럼 시그널을 주는 증상이 아닐까? 더 큰 피해로 나를 망가뜨리지 않도록 어서 조치를 취하라고, 나에게 맞지 않는 전압이니 어서 조치를 취하라고, 내 몸과 마음의 상태를 제대로 살피라고 단호하게 말해주는 듯하다. 나 자신의 힘듦을 스스로 인지하지 못하거나 부정할 때 증상은 불시에 나타난다.

내 안의 두꺼비집이 내려가 버리는 순간마다 어떻게든 다시 레버를 끌어올려 내 자신을 다시 몰아붙여 왔다. 그것은 임시방편에 불과했는지도 모른다. 이제는 내 인생의 회로 설계 자체에 문제가 있었던 것은 아닌지 잠시 멈춰 들여다봐야 할 때임을 깨달았다.

나는 회사라는 계통에 맞지 않는 정격을 지닌 것이 아닐까 생각하며 모두가 퇴근한 불 꺼진 사무실에서 인사 시스템에 접속했다. 퇴직원 양식을 띄운 모니터 불빛이 내 얼굴을 환하게 밝혀주고 있었다.

여자력(女子力) 높은 회사원

일본에는 '여자력(女子力)'이라는 말이 있다. 2009년에 생긴 신조어로 '여성이 자신의 삶을 향상시키는 능력, 또는 여성이 자신의 존재를 나타낼 줄 아는 능력'이라는 뜻이다. 이 '여자력' 지수는 '남성을 얼마나 잘 챙기는가' 라는 지표가 매우 중요한 평가 기준이 된다.

나는 매년 봄마다 도쿄로 출장을 갔다. 일본에서 열리는 전시회 기획 업무를 맡고 있었기 때문이다. 약 5일간의 고된 일정이 끝나면 일본 현지 직원들과 한국 본사 직원들이 모두 모여 뒤풀이 회식으로 웃고 떠들며 마무리를 하는 것이 관례였다. 나는 행사 총괄 실무자여서 현장에서 남은 정리를 마친 뒤 후발대로 뒤풀이 장소에 도착했다. 테이블에는 20여 명이 넘는 직원들이 일자형 의자에 둥그렇게 둘러앉아 있었는데 일본법인의 C 부장이 유일한 여자 직원인 나를 보더니 손짓했다.

"이 대리! 여기로 와서 앉아."

C 부장은 사업부장인 J 상무와 자신 사이 자리를 가리키며 외쳤다. 그 자리에 앉기 위해서는 양옆으로 앉아있는 열댓 명의 사람들을 비집고 들어가야만 했는데 사람들은 엉거주춤 일어나 나에게 안으로 들어가라며 자리를 비켜줬다. 나는 무슨 상황인지 생각할 겨를도 없이 그 자리로 떠밀려 들어가 앉았다. 같이 후발대로 도착한 남자 직원은 친한 동

료들과 함께 편한 자리에 앉았다. J 상무와 C 부장은 나와 사업부가 달라서 가끔 얼굴만 마주칠 뿐 업무 관계가 거의 없었으므로 나는 둘 사이에 어색하게 앉아 음식도 편하게 먹지 못하고 눈알만 굴렸다. C 부장은 나에게 자신의 직속 상사인 J 상무의 술잔을 채우라며 빙글빙글 웃었다.

사회생활을 하면서 남자 동료들에게 술을 따라주는 것에 특별히 거부감을 가진 적은 없다. 워낙 남자 비율이 높은 회사이기도 하고 남녀 상관없이 서로 동등한 관계에서 술잔을 채워주는 것은 상호 간의 매너이자 동료애라고 생각하기 때문이다. 남자인 상사에게 술을 따르는 것 역시 성별을 떠나 한 명의 부하직원으로서 할 수 있는 사회생활의 영역으로 여겼다. 오히려 자신이 여자라고 해서 남자 동료에게 술을 따르지 않는 것이 자신을 '여자'라는 프레임에 가두는 어중간한 젠더 의식으로 보였다.

이날의 자리 배치는 통상적으로 내가 행하던 자발적인 매너와는 분명히 다르고 어색했지만, 나는 일단 모두가 즐거워야 할 뒤풀이 분위기를 깨지 않는 쪽을 택했다. 조용히 미소를 띠며 좁은 자리에 앉아 술을 따르고 술을 받았다.

나중에 일본인 친구에게 들은 이야기인데, 일본에서는 이러한 문화를 당연한 것으로 여긴다고 한다. 술자리에 가면 회사 모임이든 사적 모임이든 남녀 남녀 순으로 앉아 여성이 옆에 앉은 남성의 술을 따라주고 안주를 챙겨준다. 남자들은 자기들끼리 모여 누가 '여자력'이 우수했는지 평가한다. 고객 접대 술자리에는 업무와 상관없더라도 여자 직원을 반드시 데리고 간다. 술자리 응대 능력에 따라 여자 직원을 평가하는 문화가 여전히 남아 있으며 술자리 접대만을 위한 여자 직원을 뽑는 경우도 있다고 했다. 그 이야기를 듣고 나는 그날의 내 역할이 '술자리 접대 여직원'이었다는 것을 명확하게 깨달았다.

때로는 자발적으로 '여자력'을 발휘한 적도 분명히 있었다. 어느 날 직속 조직 임원에게 갑자기 손님이 찾아왔는데 마침 비서가 자리를 비운 참이었다. 상황을 인지한 팀장이 팀원들을 보며 "상무님 방에 손님 오셨다. 누가 차 좀 내가지?"라며 둘러봤다. 아무도 본인 일이라고 생각하지 않았기에 눈치만 보고 있었고 나는 빠르게 상황을 판단했다. 계약직 여자 후배에게 업무 영역 외의 차 심부름을 시켰다가는 나중에 뒷말이 나올 수도 있었다. 직급순으로 봤을 때 막내인 남자 사원이 있었지만 나는 배려심 깊게도 잠재된 여자력을 발휘하고 말았다. 아무리 그래도 연세가 지긋한 손님인데 시커먼 남자 직원이 차를 들고 들어가면 불편해하시지 않을까하는 자기 합리화와 자체 검열이 이루어졌다. 나는 급한 업무를 제쳐두고 자리에서 일어나 최대한의 여자력을 발휘해 손님용 찻잔에 다과를 준비해 조신하게 임원실로 들어갔다. 자리로 돌아올 때 파티션 너머로 흡족해하는 팀장의 얼굴이 얼핏 스쳤다.

타의에 의해서, 또는 자발적으로 여자력을 발휘한 순간은 이 외에도 분명 많았다. 이때 내 행동 여부를 판단한 기준은 '내가 해야 할 일인가'가 아니라 '사람들이 이 일을 누가 하기를 기대하는가'였다. 사회라는 집단 안에서 분위기를 깨지 않기 위해 '착한 여자' 모드가 수시로 가동되고는 했다. 남자 중심의 조직에서 성역할 철폐를 외치며 유난 떠는 여자가 되고 싶지 않았고, 일에서도 사회가 기대하는 여자력에 있어서도 인정받아야 조직에서 살아남을 수 있으리라는 생존 본능도 작동했다.

최근 유튜브에 '일본인 아내', '일본인 여자 친구'라는 해시태그를 단 한국 남자들의 영상이 알고리즘으로 자주 뜨고는 한다. 퇴근하는 남편을 공손하게 맞이하며 정성 가득한 저녁 밥상을 차려 둔 일본인 아내, 애교 넘치는 말투로 귀여운 옷을 입고 남자 친구에게 연신 고맙다고 말하는 '여자력' 높은 일본 여성들의 모습이 높은 조회수를 기록하고, 댓글에는 일본인 여성과 결혼하고 싶다는 한국 남자들의 댓글이 우수수 달린다. '여자력' 높은 여성에 대한 니즈와 판타지는 21세기에도 여전히 남성들을 사로잡고 있다.

여자력을 발휘한 순간들이 결과적으로 사회에서 내 경쟁력을 높여주었는지 돌아보았다. 실력과 성과로 인정받고 싶은 사회인으로서의 자아를 오히려 사회가 만들어둔 '여자'라는 프레임에 스스로 가두어 버린 순간도 많았다. 이제서야 깨닫게 된 사실이지만 때로는 불편한 마음을 감수하고 주변의 기대에 눈과 귀를 닫아버려야 하는 순간도 있다. 사회에서 여자력에 기댄다는 것은 어쩌면 내 실력과 성과만으로 경쟁하기 에는 자신감이 부족하다는 방증일 테니 말이다.

롤모델 없는 사회

남자가 절대적으로 많은 이 회사에 나는 꽤 만족하고 다니고 있었다. 입사 후에 대리, 과장 승진까지 일사천리로 해왔고, 업무 특성상 운이 좋았던 덕분인지 CEO 보고도 직접 들어가는 전사에 몇 안 되는 실무자 중 한 명이었다. 기라성 같은 임원들도 홍보 업무에 있어서만큼은 내 말을 적극 지지해 주고 힘을 실어주었다. 재미있었다. 회사 내에서 확실히 인정받고 있다는 만족감이 나를 언제나 고양시켰다. 쏟아지는 업무도, 잦은 출장도 내 존재가치와 능력의 방증이라 여겼다.

하지만 이 회사에서 여자 중 부장까지 승진한 사람은 전사에 단 두 명이었다. 모두 50대 미혼으로 그마저도 사원부터 시작해 승진한 것이 아닌 경력 입사 케이스였다. 두 사람은 올드미스의 대명사로 사람들 입에 오르내렸고 사람들은 '저러니까 결혼 못 했지'를 뒤에서 단골 농담으로 주고받았다. 미혼인 남자가 있으면 서로를 엮어주려는 뻔한 장난도 끊이지 않았다.

팀 비용 처리나 비서 등의 지원 업무는 젊은 계약직 여자 사원들로 채용했다. 그 자리에 남자 사원을 뽑은 경우는 한 번도 보지 못했다. 때로는 이 자리에서 정규직으로 전환되어 2-30년 가까이 '사원' 직급으로 다니는 사람들도 있었다. 어지간한 차부장들보다 근속년수가 높은 그들을 사람들은 'OO 언니'라는 직함으로 불렀다. 회사 사람들은 OO 언니와 지원 업무를 하는 계약직 사원을 통틀어 '여직원'이라고 부르고는 했다. 어느 남자 사원을 '남직원'이라고 부른 적이 있던가? 여직원이라는 말의 뉘앙스가 요즘 말로 괴랄맞아서 두드러기가 돋는 기분이었다.

결혼 후 아이를 낳고 복직한 여자 선배들은 성과를 인정받을 수 있는 메인 업무가 아닌 지원 업무를 배정받는 경우가 많았다. 복직 후에는 회사 일에 집중하지 못하는 것이 내 눈에도 보였다. 화장실에 수시로 들락거리며 친정 엄마, 어린이집 선생님과 끊임없이 전화를 해댔다. 지친 얼굴로 편한 옷을 입고 다니며 주어진 일을 쳐내는 것에 급급해 보였다. 회사는 그저 아이 기저귓값 버는 일터가 된 것 같았다. 젊고 욕심 넘치던 눈빛이 지치고 목적 잃은 눈빛으로 변해가는 것을 보면서 나는 저렇게 되고 싶지 않다고 생각했다.

그렇게라도 회사에 남아있는 사람들은 그래도 성공한 축에 속했다. 입사 후 만난 내 전임자 최 대리는 회사를 10년 넘게 다닌 두 아이의 엄마였는데 나는 퇴사 예정인 최 대리의 후임으로 채용되었다. 그녀가 말해준 퇴사 이유는 이것이었다. 팀장이 면담을 하면서 '요즘 회사 생활하는 데 힘든 점은 없냐'고 묻길래 '요즘 회사 일이 많아 애 둘 키우면서 다니는 게 좀 힘들긴 하다'고 했더니 '아이고, 그렇게 힘들면 그만둬야지'라고 했다는 것이다. 그녀는 퇴사 후 작은 키즈카페를 차렸다고 했다.

옆 교육팀에는 민 과장이라는 선배가 있었는데, 여러 후배들의 신망을 받는 굉장히 따뜻한 인품의 소유자였다. 신입사원 병아리의 눈에는 과장까지 승진한 여자 선배의 존재가 굉장히 높고 대단해 보였는데 몇 달 지나 민 과장님의 퇴사 소식을 듣게 되었다. 민 과장님은 사내에서 결혼한 CC였는데 둘째를 임신했다는 소식이었다. 두 번째 출산휴가를 써야 하는 상황이 되면서 사내 부부였던 민 과장님은 퇴사를 결정하게 되었다고 했다. 그것이 스스로의 결정이었는지 회사로부터 어떤 권고를 받은 것인지 정확히 알 수는 없다. 이제는 그때로부터 많은 시간이 흘러 조직 분위기도 많이 바뀌었지만 사회 초년생 시절 여자 선배들의 출산 후 거취는 회사 생활 내내 마음속 어딘가 깊이 잔상으로 남아 있었다.

출산 후 커리어를 놓지 않으려는 여자 동료들은 양가 어머니의 전폭적인 육아 돌봄이 기본 전제가 되어야 했다. 좋은 평가를 받을 수 있는 업무는 무한 야근과 잦은 출장을 요구했고 아이 엄마로서의 정체성을 드러내지 않고 모든 업무 조건을 수행할 수 있어야만 회사나 주변 동료의 눈칫밥을 먹지 않을 수 있었다. 결혼 이후 그들의 가장 큰 경쟁자는 남자가 아니라 결혼 안 한 여자 동료들이 되었다. 팀 회식이나 친목 술자리에 시간 구애 없이 참석하는 자유로운 그들을 보며 혹여나 도태되지 않을까 가슴을 졸였다. 나 역시 극소수로 존재하는 미혼의 여자 조직장들을 올려다보며 아이 엄마로서의 내 미래를 지워야 할 것인지 끊임없이 고민했다.

출산 이후 여자들은 회사에서 정체성의 갈림길에 선다. 주어진 업무 조건을 감사히 받아들이며 큰 성장 없이 안정적으로 갈 것인가, 또는 커리어를 놓치지 않기 위해 엄마의 역할을 상당 부분 내려놓을 것인가, 그도 아니면 두 가지를 모두 놓치지 않으려 자신을 건강과 시간을 담보로 희생하는 길을 택할 것인가. 그 어느 것도 구미가 당기는 선택지는 아니다.

더 능력 있는 사람이 일을 하고 다른 쪽이 육아를 전담하는 것으로 남편과 협상을 한다면? 안타깝게도 회사원의 월급은 육아를 전적으로 한 사람에게 당당히 위임할 수 있을 만큼 충분히 경쟁력 있는 액수가 아니다. 둘의 소득 수준이 비슷한 상황에서 아빠로서 주 양육자가 되겠다는 유니콘 같은 남편 역시 아직 신화 속에서만 존재하는 듯하다.

결혼 후 회사 안에서 롤모델을 찾을 수 없었다. 회사 안에서 여자로서 롤모델로 당당히 서기 위한 길은 자신의 희생 또는 다른 가족의 희생을 감수하지 않으면 개척하기 어려워 보였다. 아이에게 최선을 다하는 '착한 엄마'가 될 것인가, 남자들을 충실히 보좌하는 '착한 여직원'이 될 것인가. 지금 사회에서는 오로지 '나쁜 여자'만이 누군가의 롤모델이 될 자격을 가질 수 있는 것일까.

블루칼라 예찬

2022년 발표된 Chat GPT가 세상을 떠들썩하게 뒤흔들었다. 그동안 소위 화이트칼라로 칭해지던 관리사무직들의 일들을 Chat GPT가 대체할 수 있다는 위기감이 찾아왔다. 시장 조사, 데이터 분석, 기획안 작성, 뉴스 기사 작성까지. 몇 날 며칠이 걸려 사람이 하던 일을 Chat GPT는 1분 안에 결과물로 도출해 냈다. 물론 데이터의 신뢰성이나 완성도와 같은 부분들은 충분한 검토가 필요하겠지만 문서 정리와 데이터 취합과 같은 단순 사무직 업무는 굳이 인건비를 들이지 않고 AI로 대체할 수 있다는 것이 확인되었다.

화이트칼라로서 회사 생활을 하면서 요구되는 많은 역량이 있었는데 가장 중요한 것 중 한 가지는 내가 한 일의 성과를 돋보이게 하고 다른 팀원들보다 좋은 평가를 받기 위한 처세술이었다. 적게 일하고 많이 일하는 것처럼 보이기 위해 업무 시간에는 설렁설렁 일하고 퇴근 시간 이후나 주말에 업무 메일을 보내는 방법은 아주 고전적인 스킬이다. 동료들과 협업하면서도 절대로 나의 과업과 전략을 모두 오픈해서는 안 된다. 내 성과를 다른 사람의 공으로 뺏기는 일이 발생할 수 있기 때문이다. 가까운 동료일수록 절대로 회사나 상사에 대한 불만을 말해서는 안 된다. 어느 순간 그들을 통해 나의 이야기가 흘러 들어가 평가에 불이익이 발생할 수 있기 때문이다. 상사를 극진히 모시고 비위를 맞출 수 있는 의전 기술은 우리나라 회사 조직에서 인정받기 위한 필수 역량 중 하나이다.

조직에서 성공하기 위해 이같은 스킬들이 아주 중요하다는 것은 알고 있었지만, 나는 속이 훤히 보이는 저런 역량을 발휘할 만큼 뻔뻔하지 못했다. 시간이 모자라 밤늦게까지 일을 하고도 괜히 티를 내고 싶지 않아 업무 메일도 가급적 다음 날 아침에 보냈다. 가까운 동료들에게라도 회사의 불합리한 상황에 대해 열변을 토해야 속이 후련했다. 상사의 마뜩잖은 지시나 권유에 마지못해 따라야 할 때는 얼굴에 오만상 싫은 티가 났다. 직급이 높아질수록 승진을 위한 처세술의 중요도는 더 높아지는데 나는 오히려 점점 처세술에 대한 알레르기 반응이 심해졌다. 단순히 업무 역량이나 성실함만 가지고는 조직에서 온전히 인정받을 수 없다는 사실을 느낄수록 화이트칼라로서의 회사 생활에 염증을 느꼈다.

회사 시스템에 맞추어 일을 진행시키고 결과물을 만들어내는 역량은 연차가 쌓일수록 능숙해져갔지만 내가 아니더라도 언젠가 조직 내 다른 누군가가 경험을 쌓는다면 충분히 대체될 수 있는 일이라고도 느꼈다. 회사에서 쌓은 역량을 가지고 퇴사를 했을 때 내 전문성이 무엇인지 명확히 표현하기도 참 애매했다. 오로지 회사라는 시스템 안에서만 인정받을 수 있는 경험과 역량들이 대부분이었다.

퇴사 후 새로운 일을 준비하면서 여러 가지 경험을 해보고 싶었다. 그중 가장 먼저 도전해 본 일은 펫시터였다. 내가 일하고 싶은 만큼 가능한 일정에만 일할 수 있다는 장점이 있었고 무엇보다 동물이 너무도 좋았다. 언젠가 동물훈련사가 되겠다는 꿈을 어릴 때부터 품어오기도 했다. 나 역시 고양이의 18년 차 집사이기에 집을 비울 때 아이들이 걱정되는 반려인들의 마음을 누구보다 잘 알았다. 기왕이면 제대로 공부하고 일하고 싶어서 반려동물 관리사 자격증을 취득했고 펫시터 중개 플랫폼 회사에 면접을 본 뒤 교육과 실습 훈련을 받았다.

사랑스러운 강아지와 고양이들을 만나는 일은 내 생활에 신선한 활력을 가져다주었다. 돈을 받으며 남의 집 아이들을 마음껏 예뻐해 줄 수 있다니 그야말로 덕업일치가 가능한 일 아닌가. 또 다른 장점은 사람과의 대면 커뮤니케이션이 없어 스트레스가 거의 없다는 점이었다. 사전 방문 때 보호자들을 만나는 경우도 있지만 실제 돌봄일을 할 때는 오롯이 강아지, 고양이들을 돌보는 본업에만 집중하면 되어서 불필요한 감정 소모가 없었다. 사람을 만나지 않아도 되니 화장을 하거나 옷을 차려입을 필요도 없었다. 옷과 화장품을 사는데 들어가던 품위유지비가 대폭 줄었다. 화장을 하지 않으니 매일 시간을 버는 셈이었다. 덕분에 요즘은 노메이크업 예찬론자가 되었다.

펫시터 일을 하면서 강아지들과 산책하고 아이들을 돌보기 위해 몸을 움직이면서 정신이 맑아지고 몸도 가벼워지는 것이 느껴졌다. 사무직으로 일할 때는 육체적 노동이 적은 대신 과도한 스트레스로 인해 정신 건강에 적신호가 오면서 신체 건강 역시 무너지기 일쑤였다. 스트레스에 대한 보상으로 맛있는 음식을 먹다 보니 살이 쪘다. 돈과 시간을 따로 할애해서 운동을 해야 건강을 유지할 수 있는 아이러니에 시달리는 것이 사무직 회사원들의 고질병이었다. 건강한 육체는 건강한 정신을 만들기 위한 기반이 되지만, 반대로 정신력만으로는 절대 건강한 육체를 만들 수 없다.

돌봄 후에는 보호자들로부터 늘 좋은 평가를 받았다. 단순히 일이 아니라 진심으로 좋아하는 마음으로 아이들이 돌보았기에 진정성이 전해졌을 것이다. 비록 AI가 많은 일을 대체하기 시작했지만, 사람과 동물의 감정을 읽고 시의적절하게 상황을 판단해 필요한 돌봄을 제공하는 것은 AI가 대체할 수 없는 영역이다. 생명을 사랑하고 존중하는 마음은 오직 사람만이 가질 수 있는 능력이기 때문이다.

내가 이 일을 하면서 행복해지는 것은 어떤 생명체에게 도움이 되고 있다는 정신적 고양감 덕분이었다. 내 일을 통해 소중한 생명들에게 도움이 되고 있다는 만족감을 느낄 수 있다. 어쩌면 내 재능은 살아있는 존재들과 감정을 교감하는 일에 있는 듯하다.

하지만 한국 사회는 여전히 몸으로 하는 일에 대한 사회적 시선과 대우가 너무도 야박하다. 적성과 상관없이 많은 젊은이들이 이름있는 기업의 사무직 입사를 희망하며 적당한 전공의 4년제 대학에 입학한다. 하지만 모든 이들이 원하는 좋은 기업의 일자리는 한정적이고, 만족스러운 일자리를 찾지 못한 많은 젊은이들의 노동력은 방치되고 있다. 왜 모두가 사무직 일자리만을 원해야 할까. 어쩌면 그들의 재능이 다른 곳에 있지는 않을까.

학교 시험에서 좋은 점수를 받는 능력은 수많은 재능 중 한 가지에 불과하다. 운동을 잘하는 능력, 그림을 잘 그리는 능력, 노래를 잘하는 능력과 마찬가지로 손재주나 몸을 잘 쓰는 능력 역시 아무나 따라 할 수 없는 재능의 영역이다. 나는 책을 보고 이해해서 좋은 점수를 받는 능력은 어느 정도 갖고 있지만 몸을 쓰는 일에는 정말 젬병이라 집 꾸미기, 옷 만들기, 맛있는 음식 만들기, 물건 고치기, 깨끗이 청소하기, 아이 돌보기 등의 재주를 지닌 사람들을 보며 감탄한다. 그들에게 비용을 지불하고 서비스를 이용할 수 있음에 감사할 따름이다. 내가 그들의 재능을 경외심을 갖고 바라보는 것과는 달리 우리 사회에서는 소위 몸 쓰는 블루칼라 직종을 화이트칼라 직종보다 높게 인정하지 않는 인식이 여전히 남아있다.

어느 날 아파트 단지에서 강아지 산책을 하고 있는데 동네 터줏대감으로 보이는 한 어르신이 나에게 이것저것 질문을 했다. 결혼은 했냐, 애는 있냐, 이 일 하면 한 시간에 얼마 받냐 등. 웃으며 묻는 말에 적당히 대답을 해드리자 "결혼했는데 왜 애가 없대? 젊은 사람이 이런 일 하지 말고 돈 많이 주는 일 해. 우리 딸은 한 달에 월급 400만 원도 넘게 받는데."라며 원하지 않는 참견이 돌아왔다. 스스로 책임감을 갖고 만족하며 일하는 것과 별개로 이 같은 사람들의 시선과 평가가 따라오기에 많은 사람들이 직업을 선택할 때 기존의 사회적 인식 앞에 주저하게 되는 것이다.

나 역시 사회적 시선에 편승해 무난하게 평범한 화이트칼라 직장인의 삶을 택했지만 실제로 살아보니 몸으로 하는 일과 기술의 가치를 크게 느끼게 된다. AI로 많은 일들이 대체되면서 세계적인 흐름도 바뀌고 있다. 육체노동 강도가 세더라도 연봉이 높은 생산직과 기술직의 인기가 점점 높아지고 있다고 한다. 미국에서는 화이트칼라 직종을 갖기 위해 필요한 대학 학위가 불필요하다는 인식이 점점 확산되고 있다. 설문조사 결과에 따르면 2013년에는 대학 교육이 매우 중요하다고 답한 비율이 70%였는데 비해 2023년에는 36%로 절반 수준으로 떨어졌다고 한다. 서구권 선진국에서는 이미 배관공, 용접공 등의 전문 블루칼라 직종이 고액 연봉자로 당당히 자리 잡고 있다.

정직하게 몸을 쓰고 내 기술을 사용하는 일들이 사회에서 당당하게 인정받고 대우받을 수 있기를, 사회적 시선이 아니라 자신이 중요하게 생각하는 가치와 재능에 따라 당당하게 자신의 일을 선택할 수 있기를, 나 역시 진정으로 사랑하는 일을 우직하게 선택하고 밀고 나갈 수 있기를 바라며 미래 사회에서 더욱 가치를 발휘할 블루칼라들을 예찬해 본다.

2장

착한 아이

닭다리, 욕망하기를 주저하지 말라

우리 집안의 진정한 가장이자 어른이신 할아버지는 동네에서 자수성가의 대명사였다. 내가 동네에 지나다니면 아주머니들은 "부잣집 막내 손녀 지나가네."라며 관심을 보였다.

할아버지는 어린 시절 일본으로 건너가 일을 해서 돈을 버셨고 그 돈으로 한국에 돌아와 연탄공장을 차려 더 큰 돈을 버셨다고 한다. 그 후에는 시대 변화를 놓치지 않고 주방 싱크대를 제작하는 공장을 차려 역시 성공하셨다. 할아버지는 3채의 가옥과 앞마당과 뒷마당이 딸린 일본식 한옥을 지어 올려 할아버지만의 가족 왕국을 완성하셨다. 그 집에서 나는 어린 시절을 보냈다.

우리 아버지를 포함한 자식들은 모두 할아버지의 그늘 아래서 사업 하나씩을 맡아 돈을 벌었고 집안에서 할아버지의 말씀은 곧 법이었다. 자식들에게는 호랑이 같던 할아버지도 손자손녀들에게는 한없이 다정하셨다. 퇴근길에는 자전거를 타고 직접 시장에서 장을 봐오셨는데 가끔 시장에 파는 통닭 한 마리를 사 오실 때면 온 집안이 잔칫날이 된 것 같았다.

통닭을 펼쳐 놓고 들뜬 마음으로 일곱 식구가 큰방에 모여 앉는다. 할아버지, 할머니, 아빠, 엄마, 언니, 오빠, 그리고 나. 통닭을 분배하는 것은 며느리인 엄마의 몫이다. 엄마는 닭다리를 하나 집어 먼저 할아버지의 접시에 올려드린다. 그리고 남은 닭다리 하나는 아빠 접시에 올려 드린다. 그러면 할아버지는 접시 위의 닭다리를 들어 오빠 손에 쥐여 주신다. "우리 손자 많이 먹어라!" 아빠가 늦게 들어오시는 날은 곧바로 오빠 손으로 닭다리가 직행했다. 나는 남은 퍽퍽살을 맛있게 먹었다.

할아버지 댁에서 분가해서 다섯 식구가 살 때도 마찬가지였다. 닭다리 하나는 아빠, 닭다리 하나는 오빠. 아빠가 안 계실 땐 언니에게 기회가 돌아갔다. 나는 닭다리를 먹고 싶다고 떼를 쓰거나 섭섭하다고 생각한 적이 없었다. 그냥 처음부터 내 것이 아니라고 생각했을 뿐이었다.

서울로 올라와 사회생활을 하면서 오빠와 둘이서 자취를 한 적이 있다. 여느 남매가 그렇듯이 썩 살가운 사이는 아니었지만 둘이서 치킨 한 마리를 시켜 먹을 때가 있었는데 오빠는 자연스럽게 닭다리 두 개를 모두 집어먹었고 나는 당연한 듯이 닭다리에 손을 대지 않았다. 뭔가 보이지 않는 규칙이 나를 지배하고 있기라도 한 듯 나는 닭다리를 먹고 싶다는 의지조차 가지지 않았다.

친구들이나 다른 사람들과 치킨을 먹을 때도 마찬가지였다. 나에게 닭다리는 선택의 대상이 아니었다.

지금의 남편과 썸을 타던 시절, 치킨집에서 치맥을 한 적이 있었다.

갓 튀긴 치킨이 나오고 나는 늘 그랬던 것처럼 다리가 아닌 다른 부위들을 집어먹기 시작했다. 그러자 남편이 내게 "다리 안 좋아하세요?"라고 물었다. 살면서 처음 들어보는 질문에 "음…안 좋아한다기보다 어릴 때부터 잘 먹어보지를 않아서요…"라고 말끝을 흐리자 남편이 갸우뚱하며 "저는 다리 안 좋아해요. 두 개 다 드세요."라고 권했다. 나는 '다리를 안 좋아하는 사람도 있나보구나.'라고 생각하며 태어나 처음으로 닭다리 두 개를 혼자 먹어보았다. 기름진 육질이 부드럽게 뜯기며 씹혔다. 넘어서는 안될 결계를 넘은 듯한 묘한 고양감이 식도를 타고 스쳐갔다.

성질 급한 나와는 다르게 남편과의 관계는 좀처럼 진전될 기미가 보이지 않았다. 연락을 하다 말다 하면서 사람을 답답하게 했다. 내 딴에는 엄청 눈치를 준 것 같은데 뜨뜻미지근한 관계는 좀처럼 변하지 않았다. 결국 혼자 열불이 나서 이 사람은 아닌가 보다 하고 마음을 정리하려고 하던 어느 날 카톡이 왔다. "닭다리 많이 드세요."라는 메시지와 함께 남편이 보낸 '닭다리 세트' 기프티콘이었다.

닭다리가 좋았던 것인지 남편이 선물을 보낸 것 자체가 좋았던 것인지 정확히 알 수는 없지만 그날 이후 나는 닭다리를 좋아하는 사람이라고 확신하게 되었다. 연애 후 또다시 같이 치킨을 먹게 됐을 때 남편이 고백했다. "세상에 닭다리 안 좋아하는 사람이 어디 있어. 나도 좋아해."

지금까지 닭다리를 내 선택의 범주에 놓지 않았던 것은 진정한 내 의지였을까 아니면 학습된 무의식에 의해 자연스럽게 억제된 결과일까.

내가 회사원이 되어 그 안에서 만족하며 살아온 것, 내가 살아오면서 마주한 수많은 선택들도 어쩌면 내 의지가 아닌 사회에서 학습된 무의식으로 인해 생긴 결과가 아닌지 생각해 보게 되었다.

할아버지가 돌아가신 후 IMF가 터졌고 가세는 급격히 기울었다. 큰아버지의 사업 대출 보증을 서준 대가로 아버지의 형제들은 줄줄이 무너졌고, 설상가상으로 아빠는 해보지도 않은 주식에 돈을 털어 넣다 빚더미에 앉았다. 어떻게든 생계를 유지하기 위해 엄마는 일을 찾아 밖으로 나섰다.

경제 상황이 안 좋다 보니 고등학교 무렵에는 취업이 잘 되는 학과의 인기가 치솟았다. 나는 심리 상담사가 되는 것에 관심이 있었지만 학사 4년 이후 석박사와 연수 과정까지 끝내려면 6년이 더 걸린다는 사실을 알고 선택의 범주에서 제외하고 말았다.

나는 무대에서 연기하는 것을 좋아하는 학생이기도 했다. 교과서 낭독을 할 때도 연기에 혼을 싣는 나를 보고 문학 선생님은 연극영화과에 가는 것을 권하셨지만 30평짜리 아파트를 팔고 18평짜리 연립주택 사글세집으로 이사한 집 막내딸에게 예술가의 꿈은 가져서는 안되는 사치품으로 느껴졌다.

성적이 좋은 여자아이들 중 상당수가 교대를 희망했다. 엄마와 고3 담임은 수능 점수가 꽤 괜찮게 나온 나에게 교대나 사범대 원서를 쓸 것을 권하셨지만 내 적성과는 도저히 맞지 않아 보였고 대신 취업에 유리해 보이는 전공인 광고홍보학과를 선택했다. 내가 그나마 행사할 수 있었던 선택권이었다.

대학교에 입학하자마자 모두가 취업을 향해 돌진해 나갔다. 고민할 겨를 없이 모두가 가는 방향을 향해 나 역시 휩쓸려갔다. 동아리보다는 학회에 몰두했고, 공모전을 준비하고 인턴을 하며 스펙을 쌓았다. 남들이 다 알 만한 이름있는 회사에 수십 개의 원서를 쓰고 수십번의 면접을 본 끝에 바늘구멍 같은 자리 하나를 차지해 낸 것에 안도했다. 누가 강요한 것도 아니었지만 나는 최소한 주변의 기대에 부응하는 선택을 하고 있는 기특한 아이라고 자부했다.

입사 후에는 회사가 기대하는 역할에 부응하기 위해 매일매일 나를 갈아 넣었다. 회사는 내가 진정으로 원하는 일인지 고민해 볼 여유 따위는 주지 않았다. 반복되는 고된 일정 사이에 주어지는 잠깐씩의 휴가에 위로받으며 한 해 두 해를 견뎌냈을 뿐이다.

내가 착한 아이 콤플렉스에 갇혀 역할 놀이에 충실하며 살아가는 동안 세상은 조금씩 변하고 있었다. 더 이상 두 개의 닭다리를 놓고 눈치 보지 않아도 되는, 모두가 같이 닭다리를 먹어도 되는 혁명의 세상이 펼쳐지고 있었다.

내 안의 세상 역시 변하고 있는 것이 느껴졌다. 내 안 어딘가에서 내 욕망을 자유롭게 선택해 보라고 부추기는 목소리가 들렸다. 욕망하는 대로 세상은 변한다고 닭다리 세트가 넌지시 속삭이고 있었다. 닭다리, 욕망하기를 주저하지 말기를.

미스코리아

나는 어릴 때 유독 키가 빨리 컸다. 초등학교 입학식 때 운동장에 줄을 서면 키 큰 아이들끼리 서 있는 뒷줄에서도 머리 하나가 더 컸다고 한다. 삼남매 중 막내딸이라 가족 내 배식 순서에서 가장 후순위가 되었으므로 식탐이 생겨 많이 먹어서 그게 다 키로 간 것일까? 지금도 그렇지만 어릴 때도 편식 없이 밥 한 그릇을 뚝딱하던 나였다.

나는 네 살 때쯤 한글을 떼고 영특하다는 소리를 들었고, 눈치도 빠른 편이었다. 할아버지는 주무시기 전에 별채에 있는 손자손녀들의 이름을 부르시며 같이 자자고 하셨는데 언니와 오빠가 엄마와 같이 자겠다고 징징댔기 때문에 나라도 무조건 건너가야 했다. 이 집의 대장인 할아버지 말을 따르지 않다니 언니오빠는 참 철이 없다고 생각했다. 할아버지는 이런 나를 손자인 오빠 다음으로 예뻐하셨고, 다섯 살 무렵에는 직접 손을 잡고 동네 피아노 학원에 데려가 학원비를 내고 등록해 주셨다.

그 당시 많은 여자아이들이 피아노 학원에 다니고 있었다. '효음 피아노' 박효정 선생님은 파마머리에 안경을 썼고 미혼인 여자였다.

키가 커서 손가락도 상대적으로 길었기 때문인지 피아노 진도도 꽤 빨리 나갔다. 다른 아이들이 바이엘이나 동요를 귀엽게 뚱땅거릴 때 나는 우아하게도 소나티네를 칠 수 있었다. 여섯 살 때는 대구에서 열린 피아노대회에 나가서 '클라멘티 소나티네 7번'을 쳐서 유치부 최우수상을 받았다.

선생님은 대회가 끝나고 돌아오는 길에 무려 피자헛에서 피자를 사주셨다. 하지만 나는 생전 처음 맛보는 치즈의 맛이 너무 느끼해서 거의 먹지 못하고 남겼다. 선생님은 비싼 피자 사줬더니 먹을 줄도 모르는 촌놈이라며 놀렸다. 선생님은 내 상장을 출력해 황금색 액자에 끼운 뒤 출입구에서 제일 잘 보이는 1번 피아노 위에 전시해 두었다. 내 상장 이전이나 이후에 다른 상장이 없었던 것을 보면 아마도 효음 피아노 역사상 가장 큰 실적이 나였지 않을까 싶다. 상을 받은 이후로 나는 선생님의 자랑거리가 되었다.

내 인생 리즈 시절은 분명 그때였다. 당시에는 어디를 가도 어른들에게 "키도 크고 예쁘다"는 소리를 심심치 않게 들었다. 선생님은 피아노 수업이 끝난 후 나를 무릎에 앉혀 놓고 "혜원이는 커서 꼭 미스코리아 되래이." 라고 말하곤 했다. 그 소리를 얼마나 많이 들었는지 나중에는 선생님이 "혜원아, 장래 희망이 뭐라 캤지?" 라고 물으면 "저는 커서 미스코리아가 되고 싶습니다."라고 대답하는 것이 일종의 규칙이 되었다. 학원에 손님이 찾아올 때면 선생님은 상장이 전시된 피아노 앞으로 나를 부르고는 꼭 그 질문을 했다. 어른들은 미스코리아가 되고 싶다는 내 대답을 들을 때마다 자지러지게 웃으며 응원의 박수를 쳐주었다.

나도 미스코리아가 무엇인지 아주 잘 알고 있었다. TV에서 미스코리아 대회를 방영할 때면 파란 수영복을 입고 사자머리를 한 채 무대 위를 걷는 키 큰 언니들을 넋을 놓고 바라보았다. 언젠가 그 무대 위에서 걷는 나를 상상해 보았다. 사자머리만 빼면 꽤 어울리겠다고 생각했다. 저 왕관을 쓰는 순간 여자로서 어떤 마법의 권력이 주어지는 것 같았다. 미스코리아 진이 수상 소감으로 "저를 이렇게 아름답게 가꾸어 주신 아름 미용실 김명자 원장님께 감사드립니다."라고 말하는 것을 보며 나는 "저를 이 자리에 설 수 있게 해주신 효음 피아노 박효정 선생님께 감사드립니다."라고 말하겠다고 스스로 시뮬레이션해 보았다.

매년 연말에는 시내 피아노 학원 연합으로 시민회관에서 피아노 연주회가 개최되었다. 가장 설레는 일은 연주회 때 입을 드레스를 고르는 것이었다. 드레스 대여점에서 여러 벌의 드레스를 학원으로 가져오면 그중에서 마음에 드는 것을 골랐다. 학원마다, 아이들마다 더 예쁜 드레스를 선점하기 위한 경쟁도 벌어졌다.

아이들은 주로 하얀색이나 분홍색 드레스를 입고 싶어 했다. 그런데 내가 드레스를 고를 차례가 되자 선생님은 따로 골라둔 드레스를 꺼내 주었다. 장미처럼 새빨갛고 엄청난 소매뽕이 달린 거대한 드레스가 등장했다. 내가 엉거주춤 드레스를 입자 선생님과 엄마가 너무 잘 어울린다며 물개 박수를 쳤다. 거울에 비친 내 모습이 별로 마음에 들지 않았지만 싫다는 말을 꺼낼 수 없을 정도로 앞에서 호들갑을 떨어대는 바람에 결국 연주회 날 순순히 빨간 보자기 같은 드레스를 입고 무대에 서야 했다. 빨간 드레스를 입은 아이는 나뿐이어서 가장 나이 들어 보이는 데다가 가장 튀었다. 무대에 올라갈 때는 조금 부끄러웠다.

앨범에 그날의 연주회 사진이 남아있다. 빨간 드레스, 하얀 분칠에 빨간 립스틱을 바른 나는 미스코리아처럼 앞머리뽕이 엄청났다. 지금 봐도 그 나이에는 어울리지 않는 착장과 메이크업이었다. 미스코리아가 되어 이런 옷을 입고 이런 화장을 해야 한다고 생각하니 약간 닭살이 돋았다. 그 연주회 사진은 봉인 후 가족을 제외한 그 누구에게도 보여주지 않고 있다.

엄청난 성장 호르몬 분비 덕에 키가 무럭무럭 자란 나는 초등학교 2학년 때부터 여드름이 얼굴을 덮기 시작했다. 아직 외모에 눈을 뜨지 않은 시기라 정작 나는 별로 스트레스를 받지 않았는데 엄마는 예쁘다는 소리를 듣던 막내딸 얼굴이 여드름 범벅이 되니 초비상이 되어 용하다는 피부과며 한의원을 찾아 내 손을 잡고 끌고 다녔다.

여드름이 나기 시작할 무렵부터 어쩐 일인지 피아노도 더 이상 늘지 않았다. '소녀의 기도'를 한 달째 치는데도 진도가 나가지 않아 나도 선생님도 서로 당혹스러워했다. 칭찬받지 못하는 일에 에너지를 쓰는 것은 내 흥미를 끌지 못했다. 매일 메트로놈만 이리저리 튕기며 연습시간을 때우다가 흥미를 잃고 그만둬버렸다.

첫 생리는 초등학교 4학년 때였다. 보통의 여자아이들보다 2~3년은 빨랐다. 그래서인지 초등학교 5학년 이후로 내 키는 멈춰버렸다. 최종 키 157센티미터. 6학년이 되자 내 키를 추월하는 남자아이들이 하나둘 생기기 시작했고, 중학교에 들어가자 여자 아이들도 대부분 나를 추월해서 내 키는 반에서 겨우 중간이 될까 말까 했다.

다행인지 불행인지 미스코리아는 내 장래 희망 리스트에서 자연스럽게 퇴장하고 말았다.

성장이 끝날 때쯤에는 아기같이 작고 통통한 손을 가진 자그마한 여성이 되어 있었다. 다행히 스무 살이 넘어서는 여드름이 더 이상 나지 않아서 외모는 아주 예쁘지도 못생기지도 않은 그럭저럭 괜찮은 범주로 수렴했다.

우연히 유튜브 알고리즘에 뜬 미스 유니버스 영상을 보았다. 다양한 인종의 여성들이 화려하게 치장을 한 채 서로의 우수한 유전자를 뽐내며 당당한 워킹을 하고 있었다. 아름답고 머리도 좋고 재주도 많은 최고의 여성이라고 자신을 소개하고 있었다. 그녀들의 외모는 아름답고 무대는 빛나 보였지만 부럽지는 않았다.

어릴 때 어른들의 기대처럼 미스코리아가 되지는 못했지만 대신 다른 재능들을 발견하고 노력하며 나름대로 매력 있는 인격체로 성장해

왔다. 키가 여기서 멈춰버린 것이 어쩌면 다행이다. 외모에 너무 큰 비중을 두지 않고 어른들이 기대하는 꿈이 아니라 내가 원하는 꿈이 무엇인지 스스로 질문할 수 있는 사람으로 성장했기 때문이다. 미스코리아는 아니어도, 누군가에게 최고라고 평가받지 않아도 언제나 내 눈에 가장 예뻐 보이는 생각과 행동을 하는 사람이고 싶다.

셋째는 무엇으로 사는가

'아들딸 구별 말고 둘만 낳아 잘 기르자'는 정부의 캐치프레이즈 하에서 결혼에 골인한 엄마아빠는 첫째로 언니, 둘째로 오빠를 낳아 완벽한 출산 계획에 성공했다. 세 번째로 내가 생긴 것은 계획에 없던 일이었다. 아빠는 나를 지우라며 엄마에게 병원비를 주었고, 엄마는 산부인과에 중절 수술을 하러 나섰다. 그날 병원에 가는 엄마를 막고 나선 사람은 할머니였다. 버선발로 마당에 뛰쳐나와 엄마를 붙잡은 할머니의 만류로 나는 세상의 빛을 볼 수 있었다.

장녀인 언니는 늘 엄마의 전담마크 대상이었다. 엄마는 언니 손을 잡고 다니며 온갖 좋다는 학습지며 학원 공부를 시켰다. 새 학년이 되면 전 과목 참고서가 언니 책상에 가득 자리를 채웠다.

아들인 오빠는 할아버지의 남다른 사랑을 받았다. 할아버지는 이무 날이 아닌 때에도 오빠의 손을 잡고 동네 장난감 가게에 데려가 갖고 싶어 하는 것을 사주고는 했다. 손자에게만 주어지는 혜택이었다. 나는 그런 오빠와 할아버지를 쫄래쫄래 따라가서 장난감 가게를 두리번거리며 구경했다.

언니와 오빠에게만 많은 관심과 지원이 쏠린다는 것을 알아챈 후로는 스스로 가족 내에서의 내 가치를 증명해 보여야 했다. 식구들 중 가장 일찍 일어나 아침밥을 하는 엄마를 깨우고, 아침 식사가 준비되면 뒷마당에서 텃밭을 가꾸시는 할아버지에게 달려가 손을 잡고 모시고 왔다.

언니와 오빠가 시키는 것만 하는 수동적인 아이였다면 나는 무슨 일이든 적극적으로 나섰다. 언니오빠를 보며 빨리 한글을 익혔고 무슨 공부든 다 하고 싶어 했다. 언니오빠가 공문수학(지금의 눈높이 수학) 선생님과 수업을 할 때면 옆에 앉아서 참견을 하고 선생님의 질문에 내가 먼저 대답하고는 했다.

나는 심부름도 제일 열심히 했다. 할아버지 장미 담배 심부름도 하고, 엄마가 장볼 때 따라나서서 짐도 같이 들었다. 주변 어른들은 내가 의젓하고 어른스럽다고 칭찬해 주었다. 나는 어른스럽다는 말의 의미를 '말썽부리지 않는', '알아서 잘하는', '어른의 기대에 부응하는'이라는 뜻으로 이해했고 점점 응석을 부리지 않게 되었다. 나는 어른스러운 아이이며, 스스로 공부도 잘하고, 원하는 걸 사달라고 떼쓰지도 않는 아이임을 증명해야 했다.

내 물건을 가져본 적이 별로 없었다. 새 학년이 되어도 엄마는 굳이 말하지 않으면 새 참고서를 사주지 않았고 돈 주고 산 장난감은 오빠만 가질 수 있었다. 어른스러운 아이가 되기 위해 떼쓰지 않으려 노력했지만 한 번은 참았던 욕구와 불만이 폭발한 적이 있다.

초등학교 1학년 때 오빠와 치토스라는 과자를 자주 사 먹었다. 어느 날 경품 이벤트에 당첨되어 치토스 캐릭터가 그려진 빨간색 가방을 받은 적이 있다. 얼마 후 학교 소풍날이었다. 오빠에게는 이미 로보트가 그려진 파란색 소풍 가방이 있었으므로 당연히 내가 치토스 가방을 들고 갈 거라 기대하며 설레는 마음으로 소풍날 아침 눈을 떴다. 이미 오빠는 학교에 가고 없었고, 엄마는 로보트가 그려진 파란 가방에 김밥과 물을 넣어 나에게 주었다. 여자가 파란 가방을, 그것도 로보트가 그려진 파란 가방을 들고 다닌다는 것은 남자가 치마를 입는 것만큼이나 있을 수 없는 일이었다. 수치스러움에 닭똥 같은 눈물을 흘리며 대성통곡을 했고 엄마에게 등짝을 세차게 맞았다. 눈물 콧물 범벅이 되어 엄마의 손에 잡아끌려 집합 시간보다 늦게 학교 운동장에 도착했다. 저 멀리 3학년 줄에서 빨간 치토스 가방을 메고 의기양양하게 서 있는 오빠의 얼굴이 보였다. 친구들 모두가 내 로보트 가방만 쳐다보는 것 같아 운동장 바닥만 뚫어져라 내려다봤고, 그 이후의 소풍 기억은 통째로 삭제되어 버렸다.

서열 꼴찌 막내는 그저 착하고 떼쓰지 않아야만 가치 있는 존재 같았다.

학교에 들어가자 선생님들은 나를 많이 칭찬해 주었다. 집에서는 꼴찌였지만 학교에서는 1순위 학생이었다. 솔선수범하는 착한 어린이로 확실하게 자리매김하자 집보다 학교가 더 재미있어졌다. 수업이 끝난

후에도 교실에 남아 선생님들 주변을 맴돌며 심부름을 하고 칭찬받기 위해 무엇이든 열심히 했다. 집에서는 내가 큰 관심의 대상이 아니었으므로 나는 굳이 밖에서 있었던 일을 부모님에게 이야기하지 않았다. 걱정 끼치지 않고 알아서 잘하는 막내임을 증명하려는 마음이기도 했다.

그런 성향은 크면서도 변하지 않아서 고민이 있거나 문제가 있어도 누군가에게 좀처럼 말하지 못했다. 어른스럽고 성숙한 사람은 무엇이든 혼자 해결할 수 있어야 한다는 강박이 여전히 나를 지배하고 있었다. 그것이 스스로에게 가혹한 일임을 깨닫게 된 것은 사회에 나와 공황장애가 나를 덮친 뒤의 일이었다.

차가운 바람이 스며들던 어느 초가을 오후였다. 예닐곱 살 무렵의 나는 큰방에 누워서 부엌에서 엄마가 저녁밥 짓는 소리를 듣고 있었다. 해가 일찍 기울어 방이 어둑어둑해지고 나도 모르게 깜빡 잠이 들고 말았다. 눈을 떴을 때 집안은 깜깜하고 고요했다. 스산한 기운이 온몸을 감싸안았다. 방문을 열고 마당을 향해 엄마를 크게 불러봤지만 대답해 주는 이는 없었다. 나는 서럽게 울며 온 집안을 돌아다녔다. 한참 뒤에 돌아온 엄마는 잠깐 볼일을 보고 왔다며 아무렇지 않은 얼굴로 다시 저녁밥을 차리기 시작했다.

아직도 가끔 꿈속에서 스스로 존재가치를 증명하고자 고군분투하는 이 씨네 셋째 딸을 만나곤 한다. 어린 날의 나는 집안에 혼자 남겨져 여전히 울고 있다. 셋째인 나만 남겨놓고 가족들이 모두 떠나버렸나 무서워하며 떨고 있다. 현실에서 의젓하고 성숙한 나의 내면에는 응석부리며 가족들의 사랑을 갈구하는 어린 내가 남아있다. 또다시 꿈을 꾼다면 그 아이에게 귀여운 강아지가 그려진 빨간 가방을 선물하고 싶다. 무릎에 앉히고 또 갖고 싶은 것이 없냐고 응석을 받아주고 싶다. 마음껏 떼를 써도 괜찮다고, 너는 이미 그 자체로 존재가치가 충분한 아이라고 힘껏 안아줄 것이다.

일기장에 쓰지 않는 이야기

말할 수 있는 비밀만이 일기장에 쓰여진다.

밥을 먹거나 화장실에 가는 등의 특별하지 않은 일이나 죽어서도 들키고 싶지 않은 비밀 같은 것들은 일기장이 아니라 오로지 기억 속에만 자리를 잡는다. 당연한 일들은 기억 속에 눈송이처럼 쌓였다가 녹아내리고 당연하지 않거나 이상한 일들은 우박처럼 날카롭게 박힌다. 눈송이 같은 기억들이 시간 속에 켜켜이 쌓여가는 가운데 이따금 고개를 내미는 생채기들이 신경을 긁게 된 것은 어른이 된 이후의 일이었다. 시간으로 덮이지 않는 생채기의 존재가 불쑥 올라올 때마다 가끔 눈앞이 뿌예지며 울렁거리는 기분이 되곤 했다.

여섯 살인지 일곱 살쯤 되던 어느 날, 나는 학교 운동장 정글짐을 오르내리며 혼자 놀고 있었다. 우리 삼남매가 모두 다닌 초등학교는 집 코앞에 있어서 어릴 때부터 늘 운동장에서 동네 아이들과 시간을 보내고는 했다. 그날도 동네 아이들이 오기를 기다리고 있는데 중학생쯤 되어 보이는 오빠 두 명이 나에게 말을 걸었다.

"니 귀엽게 생겼다. 심심하재? 우리랑 같이 놀러 갈래?"

오빠 친구들이나 동네 친구들과 어울려 노는 것은 흔한 일이었기에 나는 어색한 감정을 느끼면서도 순순히 그 오빠들의 손을 잡고 따라나섰다. 그때의 나는 누군가의 제안이나 요청을 거절해 본 경험이 없었기 때문이다. 학교 후문을 지나 개구리와 도롱뇽이 많이 잡히는 뒷산에서 꽤 오랜 시간을 돌아다녔다.

중학생 오빠들은 개구리나 도롱뇽을 잡지 않고 계속 돌아다니기만 했다. 어쩌면 적당한 장소를 찾고 있는 것 같았다. 한참을 헤매다 원하는 장소를 찾지 못했는지 결국 학교로 다시 돌아와서는 나에게 쉬가 마렵지 않냐고 물었다. 내가 조금 마렵다고 하자 나를 데리고 화장실 건물로 들어갔다. 그 당시만 하더라도 교실 건물과 화장실 건물이 따로 있는 경우가 많았다. 오빠들은 왼쪽에서 두 번째 칸으로 나를 데리고 들어갔다. 어릴 때는 친구끼리 화장실 같은 칸에 들어가 조잘거리며 차례대로 쉬를 하곤 했다.

내가 쉬를 하고 일어서자 둘 중 말이 많은 오빠가 쪼그리고 앉더니 펜티를 벗고 있는 내 아랫도리를 자세히 들여다보기 시작했다. 그러고는 말이 적은 오빠를 올려다보며 "야, 니 먼저 해봐라."라고 했다. 과묵한 오빠는 한참을 머뭇거렸다. 잠시 후 "나는 됐다. 안 할란다."라고 말하고 고개를 돌렸다. 말이 많은 오빠는 "에이씨"라고 짜증을 내고는 내 바지를 다시 입혔다.

집에 돌아왔을 때는 이미 저녁밥을 짓는 압력밥솥에서 김이 세차게

뿜어져 나오고 있었다. 엄마는 뭐 하고 놀았길래 이렇게 늦었냐고 물었다. 나는 뭐라고 대답해야 할지 적당한 말을 찾지 못했다. 개구리도 도롱뇽도 잡지 않았고, 어떠한 놀이도 하지 않았기 때문이다. 늦었다고 혼이 날까 봐 나는 그냥 운동장에서 놀다 왔다고만 대답했다. 화장실에 간 일은 특별하지 않은 일에 속하므로 굳이 말하지 않았다.

하지만 시간이 지나도 눈송이처럼 녹아서 사라지는 기억은 아니었다. 이유는 알 수 없었지만 우박처럼 내리박혀 자국을 내고, 살면서 이따금 고개를 삐죽 내밀었다. 시간이 지날수록 더 선명해지는 생채기였다.

초등학교 때 나는 선생님들께 칭찬받기를 좋아하는 아이였다. 다른 아이들보다 키가 컸고, 공부를 잘했고, 6년 내내 반장이나 부반장을 했다. 6학년 때 나는 반장이면서 수학 경시반이나 과학경시반 활동도 하고 있었기 때문에 방과 후 특활반을 담당하는 다른 반 선생님들에게도 예쁨을 받았다.

우리 반 담임은 20대 후반쯤 되는 총각 선생님으로 기타를 치며 아이들에게 노래를 가르쳐주곤 하는 순둥이 같은 사람이었다. 옆 반 담임은 4-50대쯤 된 키가 큰 아저씨였는데 도마뱀 같은 얼굴을 하고 있었기 때문에 도마뱀 선생이라고 부르겠다. 도마뱀 선생은 그해에 운동회 준비 총감독을 맡고 있었는데 반장인 나에게 우리 반 대표로 종종 심부름을 시키고는 했다.

어느 날 수업 시간 중에 도마뱀 선생이 우리 반으로 찾아와 나에게 시킬 것이 있으니 잠깐 데리고 가겠다고 했다. 수업 시간을 운동회 연습으로 대체하는 일도 많았던 때라 담임은 별말 없이 나를 보내주었고 나는 운동회와 관련된 어떤 일을 시키려나 보다 생각하며 도마뱀 선생을 따라갔다.

6학년 교실은 맨 위층에 있었는데 건물 옥상으로 올라가는 계단 위에 안 쓰는 책상이나 의자, 운동기구 등이 쌓여있는 공간이 있었다. 도마뱀 선생은 그곳으로 나를 데리고 갔다.

도마뱀 선생은 먼지 쌓인 의자에 앉더니 나를 무릎 위에 앉혔다. 그리고 자신이 나를 얼마나 예뻐하는지에 대해 이야기했다. 많은 선생님들이 나를 예뻐했기 때문에 나는 도마뱀 선생이 굳이 수업 시간 중에 교실 밖에서 그 이야기를 하는 이유에 대해 알 수 없었다.

도마뱀 선생은 예쁘다는 말을 여러 번 하더니 나를 쓰다듬고 얼굴에 뽀뽀를 했다. 늙은 남자 어른한테 나는 시큼한 냄새가 났다. 얼굴에 묻은 침이 더럽다고 생각했다. 하지만 선생님에게 부정적인 감정을 표현하는 것은 착한 아이에게 있어서는 안 되는 일이었다.

나는 키가 다 컸고, 발그레한 여드름 꽃이 피었고, 생리를 시작했고, 브래지어를 찬 여자아이였지만 도마뱀 선생이 나에게 예쁘다고 한 말의 의미를 완전히 이해하지는 못했다. 내가 이해한 것은 도마뱀 선생의 예쁘다는 칭찬에 기분이 좋아지지 않았다는 것이다.

도마뱀 선생이 나를 예뻐한 일은 누구에게 자랑하거나 들키고 싶은 종류의 일이 아니라서 일기장에도 쓰지 않겠다고 생각했다.

삶에는 '일기장에는 쓰지 않는 이야기'가 있다. 일기장에 쓰지 못하고 기억 속에 덮어두었던 그 사건들을 30년 가까운 시간이 흐른 지금에서야 다시 직면했다. 나는 세상 모든 사람들에게 칭찬받는 착한 아이이고 싶었다. 그것이 내가 이 세상의 존재 이유를 검증받는 방법이라고 생각했다. 사리 분별이 안 되는 아이라서 동네 오빠들의 나쁜 호기심에 넘어갔다고 차마 말할 수 없었다. 나를 예뻐하던 도마뱀 선생이 나쁜 행동을 했다는 것을 인정할 수가 없었다. 이런 일을 일기장에 써서 어른들에게 걱정을 끼치는 아이가 되고 싶지 않았다. 무슨 일이든 알아서 잘하고 키우기 수월한 착한 아이로 영원히 남고 싶었다. 기억 속에 날카롭게 박힌 당시의 감정을 외면함으로써 나는 과거의 상처를 치유하지 못한 채 어른이 되었다. 어른이 되어서도 타인에게 착한 사람이 되려는 어린 마음이 나를 지배함으로써 타인이 내 행복의 기준이 되는 삶을 살고 말았다.

누구나 크고 작은 상처를 받으며 살아간다. 아픔을 직면하고 상처를 치유하지 않으면 결국 깊은 생채기 때문에 삶을 씩씩하게 걷지 못한다. 일기장에 차마 쓰지 못하고 가슴 속에 묻어둔 상처들이 있다면 지금이라도 치유의 시간을 가져야 한다. 과거의 나를 치유해야 현재의 내가 힘찬 발걸음을 딛고 일어나 비로소 미래로 행복하게 걸어 나갈 수 있다. 나는 어린 시절 겪었던 혼돈의 감정들을 지금이라도 똑바로 바라보고자 한다. 다시 일기장을 펼쳐내 비어 있는 페이지를 채워나갈 것이다. 그리고 어린 날의 나에게 편지를 써줄 것이다. 너는 어렸고 그 일은 네가 부족하거나 잘못해서 일어난 일이 아니라고. 어른이 된 네가 더 이상 그런 일로 상처받지 않도록 앞으로는 당당하게 자신을 지켜낼 거라고.

여자 기숙사

가족들로부터의 물리적 독립은 고등학교 입학과 동시에 이루어졌다.

내가 다닌 고등학교는 금오산 자락 아래에 위치한 외국어 고등학교로 전교생이 기숙사 생활을 하는 곳이었다. 3년간의 그 시간이 너무도 밀도 있고 진한 기억이어서 나이가 들어서도 나에게 주는 영향력은 사라지지 않을 것이다.

경상도 내 다양한 지역에서 온 아이들이 한 울타리 안에 모였다. 그 시절의 나는 스스로를 충분히 성숙한 인격체로 취급하고 있어서 어엿하게 독립한 어른으로서의 삶이 이곳에서 시작된다고 느꼈다. 집에 가는 것은 3주에 한 번이었고 핸드폰 사용도 허용되지 않았다. 저녁마다 공중전화 앞에 줄을 서서 집에 전화를 하는 아이들도 있었지만 나는 딱히 그러고 싶지도 그럴 필요성도 못 느꼈다. 엄마 목소리를 듣겠다고 전화기를 붙들고 있는 친구들이 약간 애처럼 보여서 그 대열에 합류하고 싶지는 않았다.

기숙사는 교정 제일 뒤편에 자리 잡은 건물로, 가운데 식당을 사이에 두고 왼쪽이 남자 기숙사, 오른쪽이 여자 기숙사로 나뉘어 있었다.

2층 침대 두 개와 책상 네 개, 옷장 네 개가 오밀조밀 들어간 방에서 쨰, 쑴, 써니와 룸메이트가 되었다. 서로 반은 달랐지만 성격도, 외모도, 성적도 크게 튀지 않는 아이들이라 특별한 싸움 없이 3년 동안 사이좋게 잘 지냈다.

쨰는 얼굴에 주근깨가 조금 있는 재미있는 아이였다. 할머니 같은 말투나 표정으로 웃긴 소리를 할 때가 많아서 할매라는 별명이 생겼다. 시험 기간에는 가장 짧게 공부하고도 가장 좋은 점수를 받아서 부러울 때가 많았다.

쑴은 일본 음악과 애니를 좋아하는 닥터슬럼프 아라레 같은 비주얼의 아이였다. 쨰와는 같은 중학교 출신으로 부모님들끼리도 알고 지내는 사이였다. 기숙사 방 책상에서는 주로 만화책을 보곤 했다. 이어폰을 끼고 만화책을 보며 늘 낄낄대고 있었다.

써니는 새하얀 얼굴로 화 한 번 내지 않는 순둥순둥하고 성실한 아이였다. 엄마처럼 우리를 챙기며 방 정리도 제일 열심히 했고, 시험 기간마다 깔끔하게 정리해 놓은 노트 필기도 짜증 한번 없이 보여줬다. 학교 아이들 모두 써니를 천사라고 불렀다.

설립된 지 5년이 겨우 넘은 이 기숙사 학교는 군대의 시스템과 조직문화를 적극 반영한 듯했다. 아침 6시에 기상 음악이 기숙사에 울려 퍼지면 눈도 제대로 뜨지 못한 채 체육복으로 갈아입고 운동장으로 달려 나간다. 반별로 서서 새천년 체조를 한 뒤 학교 주변 공터를 달린다. 여름은 그나마 괜찮았지만 해도 뜨지 않은 추운 겨울 아침의 구보는 모든 아이들이 질색했다.

1학년은 아침, 저녁, 취침 전까지 총 3번의 기숙사 점호가 있었다. 2학년 선도부 선배들이 점호를 담당했다. 아침 청소 점호 시간은 너무 빠듯해서 3분 안에 밥을 쓸어 넣어야 청소를 겨우 마칠 수 있었다.

지금 생각해 보면 이해가 안 갈 정도로 선후배 사이의 위계질서가 엄청났는데 백 미터 반경 밖에서라도 지나가는 선배를 보면 목청을 높여 "안녕하십니까!"라고 외치며 90도로 인사를 해야 했다. 학교 밖 시내에 나가서도 마찬가지였다. 길 건너편에서 지나가는 선배를 발견하면 지체없이 소리를 지르며 인사를 했다. 지금은 돈 주고 하라고 해도 못 할 짓인데 그 당시에는 우리는 다른 일반고와는 다르다는 자아도취에 빠져 그것을 조금 자랑스럽게 여기는 마음이 있었다.

만약 지나가는 선배를 발견하지 못하고 인사를 하지 않은 자에게는 추후 공개처형의 시간이 기다리고 있다. 바로 정신교육 점호다.

11시에 야간자율학습이 모두 끝나고 아이들이 방에 들어가 잘 준비를 마칠 때쯤 불시에 2학년 선도부 선배의 목소리가 울려 퍼지는 날이 있었다.

"1학년 여자, 전부 복도로 나와!"

아이들은 영문도 모른 채 하얗게 질린 얼굴로 복도로 나가 4열 종대로 무릎을 꿇고 앉는다. 누가 공개처형의 대상이 될지 아무도 예측할 수 없다. 부디 나는 아니길 바라며 고개를 푹 숙인다. 잠시 후 몇몇 아이들의 이름이 호명된다.

"김지애, 홍슬아, 박지민, 김윤혜 일어나."

나와 친한 같은 반 지애의 이름이 불렸다. 내 일처럼 가슴이 철렁한다.

"김지애, 저번 주 일요일에 시내 1번가에서 이아름 선배 지나가는데 인사 안 했지?"

지애가 지나가는 것을 본 2학년 선배 누군가가 선도부 친구에게 일러바쳤을 것이다.

잘못을 지적당했을 때는 절대 변명해서는 안 된다. 오로지 "죄송합니다."라는 발언만이 허용된다. 그래야 이 시간이 빨리 끝날 수 있기 때문이다. 지애에 이어 슬아 역시 인사를 안 했다는 이유로 공개 처형당했다.

다음으로 지민이와 윤혜다.

지민이는 오목조목 귀여운 얼굴에다가 작고 날씬한 몸, 큰 가슴까지 갖고 있었는데 성격도 쿨하고 성적까지 좋아서 늘 부러운 마음이 들었다. 식당에서 가슴을 쫙 펴고 포니테일을 한 채 식판을 든 지민이가 걸어갈 때면 많은 남학생들이 젓가락질을 멈추고 쳐다보는 것이 느껴졌다.

"박지민, 누가 교복 그렇게 작게 입으래."

신축성이라고는 없는 개량한복 같은 핑크색 하복을 입으면 지민이의 가슴은 유독 돋보였다. 교복 사이즈가 문제인지, 지민이의 가슴이 문제인지 알 수 없었지만 지민이는 공개 처형 이후 교복 위에 체육복을 걸쳐 입고 다녔고 어느 날은 숏컷으로 머리를 싹둑 자르고 왔다.

다음으로 윤혜의 이름이 불렸다. 윤혜는 배우 김하늘을 닮은 얼굴에 말괄량이 같은 성격으로 남자아이들에게 인기가 많았다. 윤혜에게 관심 있는 남자아이들은 시도 때도 없이 윤혜에게 장난을 쳤다. 2학년 중에도 윤혜를 좋아하는 남자 선배들이 꽤 있었다.

"김윤혜, 지난주 일요일에 외출할 때 왜 그렇게 짧은 반바지 입었어. 단정하게 못 입어?"

지난주 일요일이라면 나와 같이 떡볶이를 먹고 들어온 날이다. 그날 윤혜는 무릎 바로 위까지 오는 흰색 5부 반바지에 반팔 면 티셔츠를 입었다. 나는 무릎을 살짝 가리는 헐렁한 청 반바지에 반팔 티셔츠를 입었다. 통통한 내 다리와는 다르게 가늘고 하얀 윤혜의 종아리만이 그토록 단정치 못했다는 소리인가.

반바지를 입으면 안 된다는 교칙은 그 어디에도 없었고 어떤 남자아이들은 무성한 다리털을 뽐내며 짧은 반바지를 입고 다녔지만 여자아이들은 그날 이후 아무도 무릎이 보이는 반바지를 입지 않았다. 그 누구도 굳이 다리가 저릿저릿한 정신교육 점호에서 이름이 불리고 싶지는 않기 때문이었다.

아무도 강요하지 않는 자기검열과 견제가 이루어지는 여자 기숙사의 밤이 깊어져 가고 있었다.

졸업식

고등학교 생활을 마치는 졸업식 날이다.

3년간의 기숙사 학교생활은 재미있었다. 가장 몰두했던 것은 동아리였는데 나는 영화 제작반에서 꽤 열정을 갖고 활동했다. 동아리에서 만든 작품 중 하나는 청소년 영화제에서 수상하기도 했다.

또 하나 기억에 남는 것은 반 친구들과 영어 연극 무대에 섰던 일이었다. 나는 어릴 때부터 남들 앞에만 서면 평소와는 다르게 아드레날린이 솟구치고는 했다. 연극 중 한 비극적인 장면에서 온몸으로 슬픔을 표현하는 전통춤을 추게 되었는데 그 모습이 상당히 임팩트가 있었던 모양인지 그 이후 한동안 나는 친구들에게 '살풀이'라는 별명으로 불렸다.

나는 나쁘지 않은 수능 성적을 받고 염두에 두었던 대학과 학부에 무난히 합격했다. 역대급 취업난 속에 그저 대학 졸업 후 좋은 곳에 취업할 수 있을지를 고려한 선택이었다.

졸업식 마지막에는 졸업생 전체가 선생님들과 악수를 나누며 인사를 하는 순서가 마련되어 있었다. 진로상담을 담당하던 문학 선생님은 나와 인사할 차례가 되자 손을 마주잡으며 힘주어 말했다.

"니는 대학 가서 동아리를 하든 뭘 하든 연기는 꼭 하그래이."

영화와 연기는 내가 좋아하고 열정을 갖고 있는 일임에 틀림이 없었다. 하지만 대학과 전공 선택 기준이 내가 좋아하는 것이어야 한다고 그 당시에는 생각하지 못했다. 그저 사람들에게 좋은 평가를 받을 수 있는 길이 무엇인지만 생각했다.

대학에 들어와 자취를 하게 되면서는 돈이라는 것이 얼마나 중요한 것인지 절실하게 깨달았다. 빠듯한 형편에도 부모님이 월세와 아주 약간의 용돈을 보내주셨지만 먹고 싶은 것을 먹고, 필요한 것을 사기 위해서는 꾸준히 아르바이트를 해야만 했다. 학교에서는 성적을 잘 받기 위해 전공 공부에만 몰두했다.

학교 게시판에 교환학생 선발 공고가 떴다. 다른 것은 몰라도 교환학생만큼은 꼭 가고 싶어서 학원에 다니며 토플 공부를 했다. 주말에는 서울에 사시는 고모네 약국에서 접수일을 도와드리는 아르바이트를 했는데 내가 교환학생을 준비 중이라고 하자 고모가 걱정스러운 얼굴로 말씀하셨다.

"지금 너네 엄마아빠 형편이 많이 어려울텐데… 교환학생 가면 생각보다 생활비 엄청나게 많이 들어. 꼭 가야겠니?"

그 말을 듣자 주눅이 들었다. 집안 사정도 생각하지 않고 내 욕심만 채우는 철없는 아이가 되고 싶지는 않았다. 다음 달 토플 학원 수강 접수를 취소해버렸다. 시간이 많이 흐른 지금도 가끔 내 선택을 포기했던 그때가 자꾸 떠올라 미련이 남고는 한다.

4학년이 되어 졸업사진 촬영 시즌이 되었지만 나는 찍지 않았다. 한 번의 휴학 이후 가을학기에 졸업하게 되었지만 졸업식에도 가지 않았다. 졸업 후 우여곡절 끝에 취업에 성공했지만 대학 생활은 어쩐지 해보지 못한 것들이 잔뜩 남은 채로 미적지근하게 마무리되었다.

만약 고등학교 때 내가 좋아하는 것을 진지하게 고민하고 선택의 범주에 둘 수 있었다면 어땠을까, 만약 대학교 때 내가 하고 싶은 것을 쉽사리 포기하지 않고 밀고 나갔더라면 지금처럼 미련이 남지 않았을까.

그 때로 돌아간다면 어렸던 나에게 다시 한번 선택의 기회를 주고 싶다. 그리고 후회와 미련의 마음 없이 완벽히 개운한 마음으로 졸업식에 참석하고 싶다.

3장

착한 아내

결혼과 내조

36살 늦은 가을. 팀 사람들에게 청첩장을 돌리는 식사 자리. 김 차장님이 나를 놀린다. "자기 비혼식 올릴 때 꼭 초대하겠다고 노래를 부르더니 결국 청첩장이냐?"

비혼주의를 노래 부르며 다니던 내가 입사 11년째 되던 해에 결혼을 결심했다. 오랜 고민 끝에 내린 결정이었다.

내가 하고 싶은 일을 마음껏 하기 위해 결혼은 후순위일 수밖에 없었다. 혼자 벌어 혼자 여행도 마음껏 다니고, 하고 싶은 걸 자유롭게 할 수 있는 혼자의 삶이 꽤 재미있고 만족스럽기도 했다. 결혼보다는 일이 더 재미있고 가치 있는 일로 느껴졌다. 그래서 팀 사람들에게 비혼주의를 공표하고 다니곤 했다.

하지만 쓸쓸한 올드미스는 되고 싶지 않다는 마지막 자존심은 있었나 보다. 결혼은 안 해도 연애는 해야 한다는 생각에 지금의 남편을 만났는데, 하필 그게 사내 연애였다. 회사일 말고는 안중에도 없는 삶을 살았으니 당연한 일인지도 모른다. 중간에 한 번 헤어진 적도 있었지만 회사에서 얼굴 마주치며 지내다 보니 결국 재결합하게 됐다. 지금의 남편은 평범하고 안정적인 가정을 꾸리고 싶어 하는 사람이었다. 연애보다는 결혼을 꿈꾸는 사람이었다. 재결합 당시에 나는 결혼 생각이 없다고 했지만 남편은 그래도 괜찮다고 말했다. 아마 우선은 급한 것부터 해결하고 보자는 전략이었던 것 같다. 재결합 후 반년 정도 지나자 결혼 얘기를 한 번씩 툭툭 던지기 시작했다. 주변에 결혼한 사람들 얘기를 수시로 꺼내고 "근데 우리는?"이라는 농담 아닌 진담을 툭툭 던졌다.

지금의 남편은 뜨거운 불꽃이기보다는 따뜻한 담요 같은 사람이었다. 나는 삶을 살아가는 데 있어서 상당히 불같은 면이 있었는데 이 사람이라면 내 뜨겁고 불안정한 불꽃을 편안한 담요로 감싸줄 수 있겠다고 생각했다.

나는 기본적으로 누군가를 위해 무언가를 주는 데서 정신적 만족감을 느끼는 사람이었다. 친구 관계에서나 연애 관계에서나 받을 때보다는 줄 때 더 행복하다고 느꼈다. 결혼이라는 선택지 앞에서도 그동안 지켜왔던 나의 가치관보다는 소중한 사람의 가치관을 존중하고 맞춰주고 싶다는 생각이 들었던 것 같다. 그리고 나라면, 결혼을 하고서도 나만의 방향성을 지켜 나가며 내 인생을 잘 꾸려 나갈 수 있으리라 생각했다.

우리는 회사 사람들의 많은 축하를 받으며 결혼이라는 이름의 게이트로 입장했다.

결혼 후 나에게 이상한 모습을 발견했는데 바로 내조 잘하는 아내로 보이고 싶은 심리적 기제였다. 결혼 후 아내로서 남편을 더 챙겨줘야 한다는 의무감 같은 것이 내면 어딘가에서 솟아올랐다. 남편보다 먼저 퇴근해서 저녁밥을 차려놓는다거나 주말에 게임을 하며 노닥거리는 남편에게 밥상을 차려주고 흐뭇하게 바라본다든가 하는 식이다. 집이 어질러져 있으면 공동 책임인데도 불구하고 괜히 내가 살림 못하는 여자인 것만 같아 마음이 불편했다. 집안 살림은 나에게 더 큰 책임이 있는 것으로 느꼈다.

남편은 집안일에 재주는 없었지만 시키는 건 군말 없이 잘하는 사람이었다. 하지만 회사 일이든 집안일이든 더 조바심을 내는 쪽이 많은 책임을 떠안기 마련이다. 집안일을 혼자 살뜰하게 챙기던 우리 시대 많은 엄마들을 봐온 탓일까. 회사 일도 집안일도 잘하는 완벽한 여성이 되고 싶은 욕심에서 비롯된 것일까. 남편의 친한 회사 동료들을 집에 초대하던 날에는 나와도 같이 일하는 사람들이었음에도 같이 어울릴 새 없이 혼자 주방을 종종거리며 코스별 음식들을 상에 올렸다.

"야아~ 제수씨 여기 완전 맛집이네요. 야, 너 결혼 잘했다."

새벽까지 자리가 이어진 뒤 사람들이 돌아가자 술이 거나하게 취해 소파에 뻗은 남편이 혀 꼬부라지는 소리로 말했다.

"여보~~ 설거지 하지마아~~ 아침에 내가 하께에에에~"

겨우 설거지를 하는 걸로 남편이 생색내게 하고 싶지 않아 고요한 새벽에 혼자 설거지를 하며 생각했다. 지금 나의 마음은 단지 사랑해서 챙겨주고 싶은 마음일까, 착한 아내 콤플렉스일까. 스스로 기준을 명확히 할 필요가 있었다. 사랑하되 필요 이상의 책임을 혼자 떠안지는 않기로 결심했다. 결혼생활은 한 사람에게 종속되는 과정이 아니라 서로 책임을 분담하고 의지해나가는 과정임을 잊지 않아야 했다. 나는 하던 설거지를 멈추고 방으로 들어갔다.

다음 날 아침 일찍 밖에서 달그락거리는 소리가 들렸다. 문을 열고 나가 보니 설거지를 말끔하게 해놓고 문 앞에 쌓인 재활용 쓰레기를 버리러 나가는 남편이 보였다. 남편이 나를 돌아보며 말했다.

"피곤할 텐데 좀 더 자지 왜."

나는 어쩐지 상쾌해진 기분으로 남편에게 빙긋이 웃으며 말했다.

"여보, 맛있는 바닐라 라떼가 마시고 싶어."

재활용 쓰레기를 양손에 든 남편이 츄리닝 바람으로 나가면서 대답했다.

"오케이. 금방 갔다 올게!"

더 이상 혼자 고민하며 조바심 내지 않아도 괜찮다. 우리 부부만의 방식으로 우리의 삶의 가치관을 하나씩 만들어 나가기로 결심하는 어느 주말 아침이었다.

사랑받는 며느리

누군가의 기대를 받는다는 것은 고마우면서도 고된 일이다.

결혼으로 맺어진 가족관계가 어려운 것은 서로의 존재가 당연한 것이 아닌 선택에 의해 이루어진다는 점 때문이다. 부부는 연애 기간 서로가 본인의 취향에 맞는지, 서로를 견딜 수 있는지 끊임없이 살펴보고 검토한 끝에 통과 여부를 판단해 결혼을 결정한다. 그렇기 때문에 연애기간 검증이 부족했거나 잘못된 경우가 아니라면 결혼생활도 예측 가능한 범위에서 그럭저럭 유지해 나갈 수 있다.

시가 식구들은 경우가 다르다. 나는 결혼 전 그들과 연애 과정을 거치지 않았으며 그들 역시 나에 대해서는 피상적인 정보 외에는 갖고 있지 않다. 그들은 내가 선택해서 얻게 된 관계가 아니므로 내가 컨트롤하기 어려운 관계의 영역 안에 있다. 시가 식구들은 그들이 바라는 이상적인 며느리의 기준이 있을 것이며 그 기준을 내가 충실히 수행하는지 여부에 따라 기뻐하거나 실망하기 마련이다.

남편은 차씨 가문의 장손이다. 시어머니는 소녀 같은 분으로 시커먼 아들 둘만 평생 키우시다 살가운 딸의 존재가 필요하셨는지 연애 때부터 따로 연락도 자주 주시고 선물도 많이 챙겨주셨다. 남편이 출장으로 집을 비울 때는 단둘이서 밥을 먹자고 하시는 경우도 많았다. 어머님은 꽃을 무척 좋아하셔서 연애할 때 남편에게서도 받지 못하던 꽃 선물을 내게 자주 해주셨다. 자신이 받고 싶은 선물을 다른 사람에게 해주고 싶은 마음이었으리라. 무뚝뚝한 남편과 아들들은 꽃을 선물 받고 싶은 어머님의 바람을 좀처럼 충족시켜 주지 않았을 것이다.

어른들에게 사랑받는 방법은 간단하다. 그들의 기대를 충족시키는 것이다.

결혼 후 처음 맞이하는 어머님 생신을 위해 몇 주 전부터 분주하게 준비했다. 어머님이 좋아하시는 꽃이 잔뜩 들어간 맞춤 케이크와 아기자기한 문구의 토퍼를 주문했다. 현금다발을 숨긴 플라워 풍선과 풍성한 꽃다발도 준비했다. 며칠 전부터 장을 봐놓고 인터넷으로 레시피를 찾아가며 하루 종일 음식을 준비했다.

우리 집에서 열린 생신 파티는 무척이나 성공적이었다. 어머님은 며느리가 직접 차린 생신상과 예쁜 케이크, 용돈 이벤트와 꽃다발 사진을 잔뜩 찍으며 기뻐하셨다. 그 사진들을 카톡 프로필에 업로드하시고는 나중에 주변 분들과 이모님들에게 잔뜩 자랑하셨다고 했다. 며느리가 시집오기 전에는 하지 않았던 아기자기한 파티, 자식들에게 대접받는다는 뿌듯함으로 시부모님의 기대는 충족되었을 것이다. 내가 준비해놓은 파티를 그저 지켜만 보던 남편은 흐뭇해했고, 나는 주변에 자랑할 만한 훌륭한 며느리 역할을 무사히 완수했다는 사실에 안도했다.

그 후 아버님 생신도, 다음 해, 그다음 해 시부모님 생신도 그렇게 미션을 수행해 나갔다. 어버이날에 결혼기념일까지 미션은 끝이 없었다.

고등학교 때부터 부모님과 떨어져 살아온 나는 정작 엄마와 아빠의 생신은 그렇게 챙겨드리지 못한다. 성인이 된 이후로 삼 남매 모두가 서울로 올라와 자리를 잡은 데다 두 분 모두 음력 생신이 추석 전후여서 추석 때 찾아뵙는 것으로 간단하게 갈음한다. 맞춤 케이크도, 특별한 선물도 없이 프랜차이즈 베이커리에 파는 케이크 하나가 끝이다. 솔직히 친정 부모님까지 시부모님과 똑같이 챙기려면 시간적으로나 금전적으로나 부담일 수밖에 없다. 내가 조금 못 챙겨도 우리 엄마와 아빠는 이해해 줄 것이라는 알량한 심보도 있다. 서로의 기대를 충족하든 못하든 서로를 평가하지 않으며 그 마음 또한 변하지 않을 것이라는 믿음이 있다는 것. 그것이 서류상으로 맺어진 가족과의 차이점일 것이다.

나는 눈치가 빠르고 상대방의 감정을 읽는데 매우 예민한 편이라서 상대방이 기대하는 바가 무엇인지 금방 알아채 버린다. 특히 그 상대가 나에게 밀접한 영향을 주는 중요한 관계라면 그 기대를 외면하기가 상당히 어렵다. 남편과 자식들에게 받지 못한 것을 기대하는 시어머니의 마음을 알아채고는 며느리로서 그 욕구와 감정을 충족시켜 드려야 한다는 부담감이 자리 잡고야 말았다. 그 누구도 나에게 그렇게 할 것을 강요하지 않았다.

그렇게 착하고 훌륭한 며느리로서의 기대를 충족시켜 드리고 나면 잠깐의 뿌듯함은 금방 사라져 버리고, 나 혼자 이 부담을 지게 한 남편에게 서운한 마음과 친정 부모님에게 똑같이 해드리지 못해 죄송한 마음이 더 크게 남는다. 나를 낳아주고 키워준 것은 엄마아빠인데 정작 효도는 결혼해서 다른 부모님들께 하고 있다. 그 내면에는 훌륭한 며느리로 인정받기를 바라는 마음, 좋은 아내로 인정받고 싶은 마음이 크게 자리 잡고 있다. 가부장제 하에서 시부모님을 잘 섬기는 착한 며느리의 이미지를 알게 모르게 학습해 왔고 그 기준에 부합해야 한다는 내면의 압박이 나를 지배하고 있는 것이다.

상대방에게 베푼 행동이 진정으로 자신이 원해서 한 것인지 알아차리기 위해서는 그 이후에 나에게 남는 감정을 살펴볼 필요가 있다. 행복하고 뿌듯한 마음이 남는가, 누군가에게 서운하고 허탈한 마음이 남는가.

다음 달은 시아버님의 생신이다. 사랑받는 며느리가 되기 위한 또 한 번의 거창한 미션을 준비할 것인가, 눈 딱 감고 이번 기회에 남편에게 모든 것을 위임해 버릴 것인가. 이런 내 고민도 모른 채 낄낄대고 돌아누워 핸드폰 게임을 하는 남편의 엉덩이를 괜히 한 번 발로 뻥 차 보았다.

십자매는 왜 알을 깨뜨리는가

어릴 때 집에서 십자매를 키운 적이 있다. 암수 두 마리가 정답게 지저귀는 모습이 정말 사랑스러웠는데 어느 날 둥지에 알을 낳았다. 나는 알이 부화하는 날만 기다리며 십자매 앞에서 떠날 줄을 몰랐다. 그날도 학교에서 오자마자 새장으로 달려갔는데 바닥에 떨어져 산산조각 나버린 알들을 발견하고 말았다. 자신의 알을 스스로 떨어뜨려 깨뜨리다니, 새끼의 부화를 애타게 기다렸던 만큼 그 충격도 컸다.

한 신문사에서 대한민국 양육비 계산기(동아일보, 2019년)를 발표했다. 성장단계별 양육 조건을 선택하면 아이 한 명 출산 후 대학 졸업까지 양육하는 데 필요한 비용이 나온다. 호기심에 나도 계산을 해보았다. 출산 후 육아용품은 최대한 대여하거나 얻어서 사용하는 조건으로 선택했고, 유치원은 영어유치원이나 놀이유치원이 아닌 일반유치원, 초등학교 때까지 학원은 태권도나 피아노 한 가지만 보낸다는 비교적 자연주의적 교육 방식을 선택했다. 생애주기별 아이의 평균 생활비와 교육비에 대학교 등록금까지는 내준다는 조건을 입력하자 숫자에 약한 내 눈앞에 믿을 수 없는 숫자가 산출되어 나왔다. 635,040,000원. 대한민국 30대의 평균 연봉은 5천만 원, 40대는 6천만 원 수준이라고 한다. 이를 기준으로 외벌이 가정의 한 달 가계소득을 500만 원으로 가정하면 50%의 지출이 아이를 키우는데 들어간다는 계산이다. 아이의 견문을 넓히기 위해 주말마다 다양한 체험활동을 시켜주거나 가족끼리

해외여행까지 가는 여유를 누리기 위해서는 맞벌이는 필수라는 계산이 나온다. 맞벌이의 경우 육아도우미 비용이 추가되므로 양육비는 더 늘어날 것이다.

아직 우리 부부 두 명의 커리어 안정성과 노후 대비도 불확실한 상황에서 미래의 아이에게 부족하지 않은 성장 환경과 꿈을 마음껏 키워줄 교육 기회를 제공할 수 있을지 의문이 들었다.

이런 대한민국 양육 현실에서 친구 지현이가 셋째를 낳게 됐을 때는 진심으로 존경과 축하의 인사를 보낼 수밖에 없었다.

"셋이라니! 너 정말 이 시대의 부자구나!"

남편은 의사인 데다가 지현이도 외국계 은행에 다니며 높은 연봉을 받고 있었고 노후 대비가 되어 있는 양가에서 어머니 두 분이 육아를 도와주어서 셋을 키우는 것이 가능했다. 그만큼 현재의 생활과 미래 대비가 안정적이기에 가능한 결정이어서 부럽고 대단하게 느껴졌다.

아이를 하나 낳고 나서 둘째는 엄두가 안 난다는 경우도 많다. 한 언론사에서 둘째 아이를 출산하지 않겠다는 부모에게 그 이유를 물었더니 37%는 '돈이 많이 들어서', 30%는 '양육이 너무 힘들어서'를 이유로 들었다. 아이가 하나인 친구들에게 둘째 계획을 물어보면 아이 하나를 키우는데도 교육비와 양육비가 너무 많이 들어서 포기했다는 답변이 돌아오곤 했다. 육아 도우미의 도움을 받으며 커리어를 유지해 왔던 친구들도 아이가 크면서 결국 일을 쉬거나 그만두는 경우가 많았다. 육아 도우미에게 들어가는 비용과 일을 하면서 버는 소득을 비교해 보면 오히려 일을 그만두고 아이를 직접 보는 편이 더 합리적인 선택인 경우가 많다. 일을 하면서 아이와 많은 시간을 보내지 못하는 미안함도 큰 이유 중 하나다.

요즘 시대에는 아이가 둘이면 중산층, 셋 이상은 준재벌로 간주할 정도다. 아이들을 부족함 없이 양육할 수 있을 정도로 경제적 능력이 기반이 되어야 가능한 가족계획이기 때문이다.

베이비부머 세대인 우리 부모 시대에는 가장 한 명이 열심히 일하면 가족 모두를 건사하고도 1-20년 안에 집을 사는 계획 실현이 가능했다. 한 직장을 평생 다니면 은퇴 이후의 삶을 꾸릴 수 있는 노후 자금도 마련할 수 있었다.

지금 이 시대는 부부가 몇십 년 일하고 돈을 벌어도 내 집 마련은 요원해 보이고, 국민연금 운용 잔고는 계속해서 적자를 면하지 못하고 있어 지금 태어난 아이들이 경제활동을 시작할 무렵에는 노년층 부양을 위해 소득의 50% 이상을 세금으로 내야 한다는 말이 나온다.

과거 세대보다 더 많은 교육을 받고 더 뛰어난 능력을 갖췄지만 그만큼 경쟁도 치열해져서 오히려 절대적인 행복감을 느끼기가 어렵다. 수명은 길어졌지만 은퇴 시점은 과거와 크게 다르지 않아 노후의 삶을 대비하기 어렵다. 모든 것이 자동화되면서 사람의 일자리가 대체되고 기술이 너무 빠르게 변하면서 직업의 안정성은 빠르게 무너지고 있다. 지금 내 눈앞의 현실이 위태롭고 불확실한데 내 아이에게 불안한 세상을 선사하고 싶은 부모가 어디 있겠는가.

아이를 낳지 않겠다는 비율은 남성보다 여성이 훨씬 높게 나타난다. 그만큼 여성들이 출산 이후 삶의 안정성을 위태롭게 느낀다는 뜻으로도 해석할 수 있다. 우선 내 자신의 행복이 보장되어야 내 아이의 행복도 책임질 수 있는 것이 아닐까.

십자매는 알을 낳거나 새끼를 키울 환경이 안전하지 않다고 느끼면 스트레스로 알을 버리거나 포기한다고 한다. 무엇이 십자매를 불안하게 만들었을까. 새장 속 환경이 새끼를 키우기에 위험하다고 판단했을까. 십자매가 알을 포기할 때는 십자매를 탓할 것이 아니라 십자매 새끼의 생존을 불안하게 만드는 주변 환경을 살펴볼 일이다.

난임 병원의 풍경

나보다 훨씬 젊어 보이는 부부가 진료실에서 나왔다. 아내는 바알갛게 젖은 얼굴로 서러운 호흡을 내뱉으며 훌쩍거리고 남편은 아무 말 없이 어깨를 토닥였다. 진료실 앞의 간호사가 그들을 불러세운다.

“다음 생리 2-3일째에 다시 오세요. 아래층에서 수납하시고 귀가하세요.”

특별히 살갑지도 차갑지도 않은 말투다.

나는 이 병원에 1년 가까이 다니고 있는 단골이다. 대한민국의 합계출산율이 0.7명으로 역대 최저 기록을 다시 경신했다는 인터넷 기사를 스크롤 하면서 난임병원 대기실에 3시간째 앉아있다. 병원 오픈 시간에 맞춰 왔는데도 대기 순번이 한참 뒤로 배정되었다.

올해로 세 번째 결혼기념일을 맞았다. 서른다섯의 나이에 결혼하면서도 늦었다는 생각은 전혀 하지 않았다. 대학 졸업 후 취업을 했고, 인정받고 싶어서 정신없이 일했고, 30대 초반에 지금의 남편을 만나 3년 가까이 연애를 하다 보니 자연스럽게 그 나이가 되어 있었다.

결혼 후에도 회사 일에 휩쓸려가다 보니 임신에 대해 계획하고 준비할 여유가 없었다. 남편은 해외 사업부이고 나 역시 해외 홍보 업무를 맡고 있어서 둘 다 출장이 잦았다. 남편은 한 번 출장을 나가면 기본 한 달이었고, 나는 한두 달에 한 번꼴로 출장을 다녔다. 임신한 채로는 지속하기 어려운 성격의 일을 맡고 있었기에 코앞으로 다가온 승진을 생각하며 임신 계획을 미뤄온 것도 사실이다. 만 35세 이상 여성이거나 결혼 후 1년 이내 임신이 되지 않은 부부는 자동으로 난임으로 분류된다는 사실을 인지했을 때는 이미 30대 후반에 들어서고 있었다. 탤런트 김용건 씨는 76세의 나이에도 득남을 했다는데, 여자의 출산 기능은 이렇게나 유효기한이 짧다는 사실에 억울함과 동시에 위기감이 들었다.

일이 바쁠 땐 어김없이 생리가 석 달 가까이 끊겨 버렸다. 큰일을 앞두고는 스트레스와 예민 지수가 극에 달했고, 팽팽한 긴장감 속에서 완벽하게 일하기 위해 신경은 늘 곤두서 있었다. 일할 때는 생리를 안 하니 오히려 편할 때도 있었지만 결국 가임 여성으로서의 신체 기능은 계속 저하되고 있었다. 자궁은 멀쩡할 땐 여자를 귀찮게 하고, 안 멀쩡할 땐 힘들게 하는 한결같이 고약한 녀석이다.

나는 어느덧 초고위험 산모 군에 속하는 나이에 진입하고 있었고, 결국 내 손에 쥐고 있는 일을 내려놓아야만 임신이 가능하다는 현실을 인정해야만 했다. 회사 일에 미련이 남았다면 임신 계획을 여전히 미루고 있었을지도 모른다.

난임병원의 시스템은 체계적이고 서비스는 군더더기 없이 깔끔하다. 부부가 같이 오는 경우가 많지만 나처럼 혼자 와서 진료를 보는 사람도 꽤 있다. 초반에는 남편이 같이 와주지 않으면 혼자 억울하고 서러운 마음이 들어 집에 가서 생색을 내고 짜증을 내곤 했다. 하지만 한 번의 시술을 위해서는 평일에도 여러 차례 검사를 위해 내원해야 하는 데다 진료 대기 시간도 너무 길어서 매번 함께 오는 것이 현실적으로 어려웠다. 몇 번의 시술 실패를 거듭하고 장기전에 돌입한 이후로는 남편에게 꼭 필요한 일정만 공유했다. 힘들다고 징징댈수록 남편에게 실패를 통보하는 그날의 마음이 더 민망해질 것을 알기 때문이다.

시험관 시술 과정에서 남자가 하는 일은 딱 한 가지이다. 남성 검사실이라는 곳에 들어가서 혼자 야동을 보며 집중한 뒤 정액을 담아 제출하는 것이다. 남편은 야동이 너무 옛날 스타일이고 여자 주인공이 정치인 누군가를 닮아 집중하기 어려웠다고 했다.

나머지 과정은 오롯이 여자의 몫이다. 매일 아침저녁으로 호르몬 주사를 직접 배에 찌르고, 처방받은 호르몬제를 매일 먹는다. 수차례 병원에 방문해 굴욕 의자에서 다리를 벌리고, 난자가 충분히 생산된 것을 확인하면 날을 잡아 채취한다. 처음 난자를 채취하던 날은 시술대에 다리를 벌린 채 하반신을 활짝 드러내고 누운 내 모습이 마치 도축 당하는 돼지처럼 느껴져서 나도 모르게 눈물을 흘리고 말았다. 수면마취를 한 이후에도 계속 우는 바람에 채취가 힘들었다고 간호사가 전해주었다.

나의 난자와 남편의 정자가 수정에 성공해 배아가 되면 몇 주 뒤 굴욕 의자에 다시 누워 자궁에 이식한다. 그리고 프로게스테론제를 매일 몸에 집어넣으며 배아가 내 자궁에 무사히 착상하기를 기다린다. 10~12일 뒤에 피검사로 임신 여부를 최종 확인 후 모든 과정은 끝난다.

나는 이 과정을 네 번 겪었고 현재 다섯 번째 과정을 진행 중이다.

좀 전에 대기실에서 나온 젊은 부부는 비관적인 결과를 들었을 것이다. 여자의 울음소리가 조용한 대기실에 울려 퍼지지만 그 누구도 흘끔거리지 않는다. 여기 있는 대부분이 이미 겪었거나 겪게 될 일이기 때문이다.

다음으로 진료를 받고 나온 여자에게는 간호사가 작별의 인사를 고했다.

"수납하고 가시면 됩니다. 예쁘게 낳으세요. 안녕히 가세요."

이 역시 딱히 살갑지도 차갑지도 않은 정도의 말투다. 오히려 축하를 받아야 할 당사자에게는 냉정하게 느껴질 법도 했다. 새 생명의 잉태라는 성공을 맛본 그 여자는 기쁨의 표정을 특별히 드러내지 않은 채 조용히 대기실을 걸어 나갔다.

대기실에 남은 이들의 마음을 그 여자도 잘 알고 있을 것이다. 간호사 역시 떠나는 자를 축하하는 일보다 남은 자들의 마음을 배려하는 일이 더 중요하다는 것을 아는 베테랑일 것이다. 이곳은 마음껏 기뻐해서도, 마음껏 축하해서도 안 되는 암묵적인 룰이 존재하는 공간이다.

생명을 창조하기 위한 최신 의료과학의 현장. 성공한 이들은 이곳을 숭고한 장소로 추억하며 떠나고, 본의 아니게 단골이 된 자들은 끝이 보이지 않는 터널을 출발했다 다시 주저앉기를 반복한다.

오늘도 어딘가에서는 낮은 출산율의 원인이 누구 탓인지 목소리를 높이는 가운데, 간절히 출산을 원하는 이들로 가득 찬 난임병원 굴욕 의자에 몸을 눕히는 내가 있다.

비싼 돈 들여 공부시켜 놨더니

자식 양육의 목표는 능력 있고 책임감 있는 한 명의 성인으로 성장시켜 경제적, 정신적 독립을 이루게 하는 것이다. 딸을 살림 밑천 취급하며 교육의 혜택에서 소외시키던 옛날과는 달리 요즘 시대의 많은 딸들은 부모의 아낌없는 지원을 받으며 최고의 능력을 발휘할 수 있는 인재로 성장해 사회에서 활약한다. 하지만 딸들의 사회적 성장은 여전히 결혼, 출산과 함께 시한부 선고를 받는 현실과 맞닥뜨린다.

모범생 집단답게 고등학교 친구 중 상당수가 전문직 여성이 되어 사회에 진출했다. 의사, 변호사, 판사, 약사, 회계사까지. 그 친구들이 얼마나 치열하게 공부하고 노력했는지 동고동락하며 지켜봐 왔기에 나 역시 친구들의 성취가 무척 자랑스럽고 대견했다. 친구인 나도 이럴진대 부모들은 잘 자란 딸이 얼마나 기특할까.

얼마 전 변호사인 선지에게 도움을 받은 일이 있어 밥이라도 살 겸 약속을 잡았다. 대학 졸업 후 곧바로 사법고시에 합격하고 변호사 생활을 시작한 선지는 십 년 넘게 꽤 이름있는 로펌에서 파트너 변호사로 경력을 쌓아왔다. 회사 일에 아이 둘 육아까지 워낙 바쁜 것을 알고 있기에 내가 회사 근처로 가겠다고 했더니 얼마 전부터 법원에서 조정위원으로 일하고 있다며 서초동으로 와줄 수 있냐고 했다.

점심시간에 맞춰 교대역 앞 한 한우집에서 선지를 기다렸다. 가끔 평일에 선지를 만날 때면 변호사 냄새가 물씬 풍기는 세련된 슈트 차림을 볼 수 있었는데 오늘은 한결 편해 보이는 복장으로 웃으며 예약해 둔 룸으로 들어왔다. 반가움에 내가 먼저 안부를 물었다.

"바쁘지? 너 언제부터 법원으로 옮겼어? 몰랐네."

"회사 나와서 올해 3월부터 여기로 왔어. 회사 일이 너무 바빠서 애들 둘 키우면서 도저히 감당이 안 되더라. 오늘 너가 고기 먹자고 해서 너무 설렜다. 여기서 일하는 사람들 다 박봉이라 맨날 구내식당에서만 밥 먹거든. 법원 주변 식당은 다 비싸. 전부 법인카드로 사 먹는 데라서. 일이야 훨씬 널널하긴 하지만."

가벼운 안부를 주고받으며 메뉴판을 보고 안심 정식 2인분을 시켰다. 선지는 가격이 더 싼 등심으로 시키자고 했지만 내가 사는 자리이니 더 좋은 것으로 대접하고 싶었다.

선지 남편은 평범한 회사원으로 집에는 아이들을 봐주시는 입주 시터 이모님이 몇 년째 함께 지내고 있다. 아이를 둘이나 봐주는 입주 시터면 꽤 비용이 많이 들 텐데 능력 있는 변호사라 벌이가 괜찮으니 감당이 가능했을 것이다. 선지와 남편 모두 집이 지방이라 부모님이 양육을 도울 수 없는 형편이었다.

선지를 만나기 전 법원 조정위원이 무엇인지 검색해 보니 법원에서 계약직으로 조정 사무를 처리하는 일이라고 나와 있었다. 내가 회사 다닐 때 받은 월급보다도 훨씬 적은 액수에 4대 보험 미포함이라는 설명이 채용공고에 나와 있었다. 이 돈으로 입주 이모님 월급을 계속 드릴 수 있는지 의아할 정도였다. 회사원 남편의 월급이라고 해봤자 네 식구 고정 생활비에 애들 학원비만 내기에도 빠듯할 것이다.

나는 돈 얘기는 자세히 묻지 않은 채 앞으로의 계획을 물었다.

"이제 너도 개인 사무실 낼 정도 경력쯤 되지 않았어? 이 일 끝나면 뭐 할 계획이야?"

"그러게. 언젠가 내 사무실 내는 것도 생각은 하고 있는데 애들 다 크기 전에는 정신없어서 아무것도 시작할 수가 없을 듯하네. 오늘도 첫째 어린이집 준비물을 하나 빼먹고 보낸 거 있지? 이런 일이 한두 번이 아니니까 어린이집 선생님 보기 민망해 죽겠다 야."

"남편은 애들 많이 안 봐줘?"

"안 그래도 첫째 준비물 또 빼먹고 보냈다고 하소연했더니 '뭐 그럴 수도 있지.'이러면서 남 일처럼 얘기하더라니까! 본인이 애들 먼저 챙길 생각은 절대 안 해요. 나 완전 가스라이팅 당해서 애 낳은 기분이라니까. 애 낳아주기만 하면 본인이 다 키울 것처럼 꼬드기더니 막상 애들 태어나니 한다는 소리가 뭔지 알아? 자기도 이 정도로 힘들 줄 몰랐다는 거야. 자기도 부모님한테 가스라이팅 당해서 애를 꼭 낳아야 한다고 세뇌당한 것 같다고 역으로 피해자 코스프레야. 결국 나만 발 동동 구르면서 애들한테 매달려있다니까."

마치 내 일처럼 속에서 열이 솟구쳐 올라 한소리 거들었다.

"솔직히 여자가 애 낳으면 육아휴직은 무조건 남자가 쓰도록 법으로 강제해야 하는 거 아닌가?"

선지도 맞장구치며 목소리를 높였다.

"맞아! 법으로 정해야 해! 남자들은 애 태어나면 회사에서 책임감 있다는 소리 듣는데 여자들은 단물 빠진 껌 취급당한다니까."

육아를 위해 부부가 일을 조정해야 한다면 벌이가 적은 쪽이 주 양육자가 되고 일을 줄이는 것이 합리적인 선택이다. 하지만 선지네 부부는 그러지 않았다. 어쩌면 못 한 것인지도 모른다.

드라마 〈나의 아저씨〉에서 주인공 박동훈의 엄마가 잘난 변호사 며느리보다 평범한 첫째 며느리를 더 좋아한다는 장면이 생각났다. 변호사 며느리는 시댁이 이사 갈 때 큰돈도 척척 보태는 능력녀지만 시어머니는 내 착한 아들이 잘난 며느리 때문에 기가 죽는 것 같아 싫다고 했다. 선지도 아마 남편 기가 죽을까 봐, 시부모님을 속상하게 할까 봐 차마 남편에게 일을 그만두라는 말은 할 수 없었을지도 모른다.

대한민국 사회에서 일을 그만두고 육아에 전념하겠다는 남편을 그대로 내버려둘 수 있는 여자가 과연 얼마나 될까. 아이를 낳은 여자가 사회에서 '단물 빠진 껌' 취급을 당한다면 아이 때문에 일을 그만두는 남자는 암묵적으로 '사회적 고자' 취급을 당하는 것이 우리나라 젠더 인식의 여전한 현주소임을 알고 있다. 여자들은 사랑하는 내 남편이 사회적 박탈을 겪게 하는 것보다 '역시 애는 엄마가 키워야지'라는 구태의연한 젠더 의식에 합류하는 쪽을 택한다. 그것이 착한 아내의 미덕이라고 믿는 것일까.

얼마 후 의사인 윤지도, 약사인 민주도 육아 때문에 일을 그만뒀다는 소식이 들려왔다. 외국계 은행에 다니는 지현이는 육아휴직이 끝나고 아이 셋을 양가 어머님이 같이 봐주고 있어 사정이 나은 편인데 어머님들도 힘들고 애들도 스트레스받고 있다며 퇴사를 매일 고민하고 있다. 아이들은 양육에 있어 서브 역할만 하는 아빠보다는 주 양육자로서 최선을 다하는 엄마에게만 매달린다. 지현이 남편은 퇴근 후 애들을 챙기느라 자신에게는 무관심한 아내에게 수시로 서운함을 표출한다. 아내로서 남편을 사랑할 의무도 저버리지 말 것을 이야기하며 지현이의 퇴사에 은근한 압박을 가하고 있다. 결코 달갑지만은 않은 사랑이다.

오랜 시간 동안 이룬 빛나는 성취를 출산 이후 내려놓는 친구들의 이야기를 들으며 딸 가진 부모님들의 마음이 궁금해진다. 착한 아내, 착한 엄마의 길을 선택하는 21세기의 딸들. 반짝반짝 빛나는 인생을 살아가라고 비싼 돈 들여 공부시켜 놨더니 결국 구시대의 엄마들이 걸어온 길을 답습하고야 마는 이 시대의 딸들을 바라보는 심정 말이다. 결혼과 출산이 여성에게 사회에서의 시한부 선고가 되는 상황이 반복되는 한 딸들의 진정한 정신적, 경제적 독립은 완성형이 될 수 없다.

4장

착한 엄마

가장이란 무엇인가

가장(家長): 한 가정을 이끌어 나가는 사람

언젠가 집에서 흑백사진 한 장을 발견하고 깜짝 놀란 적이 있다. 나는 흑백사진 세대가 아닌 것이 분명한데 나도 모르는 내 모습이 사진 속에 있었기 때문이다. 알고 보니 그것은 젊은 시절 엄마의 모습이었다. 약국에서 알바를 하고 있는 사진 속 젊은 엄마는 나와 얼굴도 몸매도 너무 닮아 있어서 최근에 찍은 내 흑백사진이라고 해도 믿을 정도였다. 어릴 때 나는 머리카락부터 발가락 모양까지 아빠를 쏙 빼다 박았다는 말을 듣고 자랐는데 크고 나니 결국 엄마와 똑 닮은 모습을 갖게 됐다는 점이 참으로 흥미로웠다.

엄마 순자씨는 강원도 속초에서 4남 1녀 중 넷째로 태어나 어릴 때 아버지를, 좀 더 커서는 어머니를 여의었다. 내게 외할아버지와 외할머니가 안 계신 이유다. 고등학교 졸업 후 집안의 가장 역할을 하게 된 공무원 큰오빠를 따라 경북 영천으로 내려와 지금의 아빠와 선을 봐서 결혼했다.

아빠 순돌씨는 순자씨에게 시부모님을 모시고 살며 맏며느리 역할을 해야 한다고 말했다. 장남인 형님은 대구에서 따로 사업을 하고 계셨고 결혼 후에는 명절에도 잘 오시지 않았기 때문이다.

그렇게 순자씨의 며느리 라이프가 시작되었다. 엄한 시부모님과 어린 도련님을 모시고 큰 집안 살림을 맡았다. 잊을만하면 찾아오는 제사며 명절 준비도 고됐지만 새벽같이 일어나 대식구 아침밥을 차리는 일은 몇 년이 지나도 힘들었다. 새벽잠 없는 애늙은이 막내딸이었던 나는 해가 뜨기도 전에 순자씨를 깨웠다.

"엄마! 일어나서 밥해라."

5분이라도 더 눈을 붙이고 싶었을 순자씨는 눈치 없는 막내의 부지런함에 몸서리를 치며 힘겹게 몸을 일으켜 부엌으로 나가곤 했다.

시집와서 한동안은 순돌씨의 벌이가 괜찮아 매일 집에 현금다발을 턱턱 가지고 왔다. 큰살림은 고됐지만 부모 없이 힘들었던 어린 시절을 생각하면 행복했다. 15년 시집살이에서 벗어나 아파트로 분가했을 때는 드디어 맘 편하고 행복한 인생만 남아있을 거라는 생각에 뛸 듯이 기뻤다.

시아버지가 돌아가시고 IMF가 터지자 시아버지 그늘 아래서 사업을 하던 순돌씨는 그 사업을 지키지 못했다. 잘 나가던 시절의 영광을 되찾고 싶었던 순돌 씨는 얼마 남지도 않은 돈을 주식에 털어 넣었다가 빚만 늘었다.

가계 살림은 점점 악화되고 순돌씨는 좀처럼 마음을 다잡지 못했다. 애 셋을 거둬 먹이려면 순자 씨가 뭐라도 해야 했다. 어렵게 마련한 소중한 아파트를 팔고 사글셋집으로 이사 갔다. 친구와 동업으로 옷 가게도 해보고 식당도 차렸다가 얼마 못가 문을 닫고 순자 씨는 만두공장에 취직했다. 새벽이슬을 맞으며 통근버스를 타고 나갔다가 해가 져서야 집에 돌아왔다. 강원도 바닷바람을 맞으며 자란 맷집에 큰 집안 살림을 맡았던 며느리 내공으로 순자씨는 체력으로 일을 버텨냈다. 순자씨의 월급으로 다섯 식구의 생활은 그럭저럭 유지가 되었다.

내가 수능을 보고 대학에 입학하기 전 용돈이라도 벌고자 순자씨가 다니던 만두공장에 아르바이트를 하러 간 적이 있다. 한겨울이라 새벽에 일어나는 것부터가 너무 고역이었다. 처음에는 라인을 따라 흘러나오는 만두를 동그랗게 접어 손만두 모양으로 빚는 일을 했는데 계장 아저씨가 생산 목표를 달성해야 한다며 라인 속도를 높이면 내 앞의 만두들은 미처 빚어지지 못한 채 속절없이 라인 저 멀리 떠내려가고 말았다. 결국 나는 기술이 그나마 덜 필요한 포장반으로 이동되었는데 라인에서 포장되어 나오는 완제품 박스를 팔레트에 적재하는 일이었다. 근력이라고는 체력장 철봉 매달리기 때밖에 쓴 적이 없던 나는 박스 하나도 제대로 들지 못해 휘청거리며 같은 조로 일하던 아저씨의 한숨을 자아냈다.

순자씨는 공장에서 워낙 일 잘하는 베테랑이어서 가장 난이도가 높은 원재료 손질반이나 반죽 라인에서 일했다. 나는 2주일도 안 돼 출근을 포기했다.

순자씨 덕에 살림이 어느 정도 안정을 찾아가자 순돌씨도 뒤늦게 자존심을 내려놓고 다시 일을 시작했다. 순자씨는 아내로서도, 엄마로서도 성실했다. 가세는 분명 기울었지만 집안 분위기는 침울한 적이 없었고 삼남매는 큰 결핍 없이 대학에 들어가 학자금 대출을 받고 졸업해 제 앞가림을 하기 시작했다. 순돌씨와 순자씨는 혼자 계시는 할머니 집으로 다시 들어가 살림을 합쳤고 오랜 시간이 걸려 빚도 다 갚았다. 순자씨는 며느리로서 마지막까지 할머니를 모셨다.

순돌씨가 나이가 많아 얼마 전 일을 그만두었고 곧 일흔을 바라보는 순자씨는 여전히 다양한 일을 하며 생활비를 벌고 있다. 자식들이 가끔 용돈을 주지만 할 수 있는 데까지는 스스로 자신과 순돌씨의 인생을 책임지고 싶다.

순돌씨의 장점은 아이처럼 순수하다는 점이다. 좋고 싫음의 감정 표현이 분명하다. 좋으면 숨김없이 껄껄 웃으며 좋아하고, 싫으면 아이처럼 숨김없이 삐치거나 화를 낸다. 뒤끝이 없어서 삐쳤다가도 금방 풀리고는 한다. 순자씨가 시키는 일은 군말 없이 잘 해낸다. 한 가정을 이끌어 나가는 사람을 '가장(家長)'이라고 정의한다면 지금 '가장'이라는 직함에 더 어울리는 사람은 순돌씨보다는 순자씨이다. 순돌씨를 이끄는 좋은 아내, 좋은 며느리 그리고 좋은 엄마로서 언제나 그 자리에서 최선의 역할을 다해내는 책임감 있는 사람이기 때문이다.

사진 속 어린 순자씨는 어쩌면 어떤 결핍과 불안을 안고 저 사진 이전의 시간들을 살아냈을 것이다. 어릴 때 충족되지 못한 결핍을 자신의 힘으로 채워 나가며 이다지도 대견하게 그 이후의 시간들 속에 우뚝 섰다. 순자씨 내면에는 스스로를 일으켜 세울 수 있는 강한 힘과 삶의 주인이 될 수 있는 대장으로서의 자질이 있음이 분명하다.

나를 똑 닮아 있는 사진 속 순자가 무척 마음에 든다. 나도 순자씨처럼 좋은 아내, 좋은 엄마, 그리고 내 삶의 대장이 될 수 있는 힘을 잔뜩 갖고 있을 것이라는 확신이 들기 때문이다.

K-Daughter

얼마 전 뱃속에 있는 아이가 아들이라는 걸 알게 된 친구에게 나도 모르게 이런 인사를 건네고 말았다.

"어머, 아들도 괜찮지. 축하해."

아들이어서 아쉽다는 의미가 은연중에 내포된 말이어서 순간 방정맞은 내 입을 후회했다.

요즘 딸을 바라는 사람들이 많아졌다. 아들만 있는 부부에게는 '그래도 딸이 있어야지.'라고 말하기도 한다. '출가외인(出嫁外人)' 딸의 위상이 높아진 것일까?

자식이 부모의 노후 부양을 하기 어려운 시대로 변했다. 부모들은 더 이상 아들에게 노후의 경제적, 정서적 돌봄을 기대하기 어려워졌다. 그러나 결혼할 때 남자가 집을 해가야 한다는 과거의 인식은 많이 남아 있어서 부모들은 아들을 결혼시킬 때 더 많은 경제적 지원을 한다. 아들은 결혼 후 제 식구들 챙기느라 여념이 없고 시부모들은 며느리 눈치를 보느라 아들네 식구와 편하게 왕래하기 어려워한다.

우리 집도 마찬가지였다. 부모님은 언니와 내가 결혼할 때 형편에 맞춰 얼마 안 되는 혼수비를 대주었고 오빠에게는 갖고 있던 땅을 모두 팔아 신혼 자금으로 1억이 넘는 돈을 마련해주었다. 부족한 살림에 재산을 정리해 장가 밑천을 대주면서 아들 부모로서의 역할을 다 하고자 했다.

집에 고민거리가 있을 때 엄마가 전화를 거는 것은 딸자식이었다. 아빠가 일을 그만두시게 되었을 때도, 살던 집이 경매에 넘어갔을 때도, 오빠가 아이를 낳으면서 엄마아빠집에 맡기고 간 강아지가 아플 때도 먼저 언니와 나에게 전화를 했다. 돈 문제를 해결하는 것도, 크고 작은 고민거리를 들어주는 것도, 엄마의 하소연을 들어주는 것도 딸자식이었다.

아들에게는 끊임없이 주고도 뒷바라지 걱정이 끝나지 않는 엄마였다. 오빠는 아들의 권리로 평생 자기가 갖고 싶은 것은 다 가지면서 살아왔다. 엄마아빠의 남은 재산을 물려받는 사람도 당연히 아들인 자기라고 생각했다. 노후 대비가 충분히 되어 있지 않은 엄마아빠를 걱정하고 지원하는 것은 가장 많이 받은 오빠가 아닌 언니와 나였다.

어려운 상황 속에서도 무사히 대학을 졸업하고 번듯한 직장에 취업해 결혼한 두 딸은 여태껏 고생하고도 생계를 위해 여전히 일을 하러 다니는 엄마를 보면 속이 불편했다. 집안에 썩 보탬이 되지 않는 오빠가 얄미우면서도 딸로서 엄마의 고생을 너무도 잘 알기에 그 짐을 함께 덜

어줄 수밖에 없었다.

지난 시대의 딸들이 가족과 남자 형제들을 위한 '살림 밑천' 역할을 부여받아 살아왔다면, 큰 결핍 없이 좋은 교육을 받고 자란 지금 시대의 딸들은 'K-Daughter 콤플렉스'에 시달린다. 좋은 직장에 들어가 당당하게 돈을 벌고, 좋은 것을 입고, 좋은 것을 먹고, 좋은 곳에 다니면서도 문득 이 좋은 것들을 평생 누리지 못하고 살아온 엄마를 돌아본다. 지금 누리고 있는 것들이 여전히 현재진행형인 엄마의 노동과 희생으로 주어진 것임을 같은 여자로서 너무나 잘 알고 있기 때문이다.

나는 엄마 성격을 참 많이 닮았다. 혼자서 뭐든 해결하려는 우직한 성격도, 남에게 신세를 지지 않으려는 성격도, 무엇이든 책임감 있게 짊어지려는 성격도 닮았다. 만약 엄마가 대학에 가서 더 공부했다면 사회에서도 꽤 신망받는 능력 있는 사람이 되었을 것이다.

아쉽게도 시대를 조금 빨리 타고나 한 집안의 딸로, 한 남자의 아내로, 아이들의 엄마로, 다른 이들의 삶을 위해 존재하고 버텨내는 것이 우리 시대 엄마들의 과거였다. 보상 없이 한세월을 버텨낸 엄마의 과거와 현재의 모습을 모두 목도해왔기에 아들보다 덜 받은 것을 원망하기보다는 더 나은 세상에 여성으로 태어나 누리는 삶의 풍요를 엄마가 똑같이 누리지 못함에 미안한 마음을 갖는다. 같은 시대에 살면서도 여전히 다른 시간을 걸어가는 엄마를 K-Daughter는 내버려둘 수 없다.

'그래도 딸이 있어야지.'라는 말은 단순히 여성의 사회적 위상이 높아졌다는 뜻이 아니다. 자신들의 삶을 마음껏 누리지 못한 엄마 세대의 과거와 현재를 외면하지 못하는 딸들에게 새로운 버전의 '살림 밑천' 역할을 기대하면서 미래의 정서적 돌봄과 부양을 기대한다는 의미가 담겨있다.

몇 년 전, 싱가포르에 살고 있는 대학 친구를 출장 중 시간을 내어 만났다. 고급 백화점이 즐비한 쇼핑 거리에서 약속을 잡았는데 뜨거운 햇볕이 내리쬐는 거리에는 돗자리를 깔고 삼삼오오 둘러앉아 도시락을 먹는 동남아 여성들로 가득 차 있었다. 내가 신기해하며 쳐다보자 친구가 설명해 주었다.

"이 사람들 전부 동남아에서 건너온 입주 베이비시터들이야. 우리 애들 봐주는 시터도 주말에 이렇게 나와 있어. 싱가포르 물가가 워낙 비싸서 시터 월급으로 식당에서 밥 먹는 게 부담되거든. 어디 갈 데도 마땅치 않으니까 자기들끼리 모여서 시간 때우며 수다나 떠는 거지."

친구네 베이비시터는 필리핀에서 4년제 대학을 나와 회사까지 다니던 사람이라고 했다. 싱가포르는 정책적으로 동남아 여성들이 들어와 입주 도우미 일을 할 수 있도록 허용했다. 싱가포르의 통상 임금 수준보다는 한참 낮지만 여성들이 고국에서 버는 것보다는 훨씬 나은 수준이다. 그렇다고 해서 이들이 싱가포르에서 자유로운 새 삶을 개척할 수 있는 것은 아니다. 계약된 기간이 끝나면 다시 고국으로 돌아가야 하고, 정기적으로 건강검진을 받아 만약 임신이 확인될 경우 강제 추방된다. 이들의 역할은 저렴한 보수로 부족한 싱가포르의 노동력을 대체하는 것으로 제한된다.

나보다도 훨씬 어려 보이는 다양한 국적의 앳된 여성들을 바라보며 어린 나이에 미싱 공장에서 일하며 집에 생활비를 보내던 지난 시대 우리네 딸들의 모습이 떠올랐다. 저 어린 여성들도 같은 이유를 가지고 스스로 노동력으로 수출되기를 자처했을 것이다. 낯선 외국 땅에서 주말에는 오갈 곳 없는 길바닥 신세지만 가족들에게 월급을 보내며 든든한 살림 밑천 역할을 하고 있는 예쁘고 안쓰러운 딸들이다.

이제 우리는 딸들을 희생시키는 시대를 지나왔음에 마냥 안도하고 있을 것인가. 오늘도 많은 K-Daughter들이 과거에서 걸어온 엄마를 뒤돌아보며 죄책감을 동반한 또 하나의 사명을 가슴에 품고 살아간다. 그 사명은 내가 엄마를 통해 얻게 된 것들에 대한 부채감이다. 지난 시대 여성들이 어깨에 져야 했던 과업과 엄마의 희생을 통해 얻은 현재의 자유와 권리를 당연하게 생각해서는 안 된다. 그러나 그녀들은 딸이 남을 위해서가 아닌 자신을 위한 삶을 당당히 꾸려나가길 바라며 과거의 시간들을 견뎌왔다. 누군가의 시간을 보상하기 위한 삶이 아닌 내가 바라는 주체적인 삶을 살아갈 때 그녀들에게 진 마음의 빚을 비로소 빛나게 갚을 수 있다. 우리 역시 미래의 딸들에게 부채감이라는 유산을 대물

림하지 않고 보다 자유롭고 당당한 삶을 선물해야 한다. 살림 밑천 딸도, K-Daughter 콤플렉스도 없이 엄마와 딸 모두가 자유로운 세상이 눈앞에 올 것임을 믿는다.

더 이상 K-Daughter도 K-Son도 없는 세상에서 아이를 낳는 친구에게 이런 인사를 건네고 싶다.

"축하해! 너처럼 행복한 아이가 세상에 태어나겠다."

가사 노동의 연봉

엄마가 보내준 총각김치가 맛있게 익었다. 엄마표 곰국에 밥을 푹푹 말며 남편에게 말했다.

"확실히 가사 노동은 재능의 영역이야."

나보다 집안일에 조금 더 게으른 남편도 국물을 들이켜며 동의했다.

"그건 그래. 어머님이 보내주신 무말랭이도 꺼낼까? 나는 청소가 적성에 안 맞나 봐."

결혼 후에도 좀처럼 늘지 않는 것이 바로 가사 노동이었다. 그나마 자취 생활을 오래 한 내가 남편보다는 살림 스킬이 나았는데 요리는 주로 내 담당이다. 할 줄 아는 요리 종류는 여전히 한정적이고 그마저도 인터넷 레시피를 보지 않으면 맛의 품질이 들쑥날쑥이다. 제때 소비되지 못한 양파는 어느 날 불쑥 싹을 틔우며 생명의 존재감을 드러낸다. 갓 무친 나물 반찬의 지위는 명절 때나 먹을 수 있는 진귀한 음식으로 격상됐다. 반찬가게에 들러 장바구니에 음식을 담아보면 몇 번 먹지도 못할 양인데도 몇만 원이 훌쩍 넘어가 버려 선뜻 손이 가지 않았다.

엄마는 레시피 같은 건 보지도 않고 갖은 반찬과 요리들을 순식간에 차려낸다. 가끔 밑반찬을 해서 보내줄 때면 국, 불고기, 김치, 진미채 등 그 양이 얼마나 많은지 반찬가게에서 샀으면 2~30만 원은 넘는 금액이 나올 것이다.

청소도 마찬가지였다. 가스레인지에 낀 기름때를 방치한 지 꽤 되었다. 화장실 배수구 머리카락은 아무리 치워도 무한대로 생산된다. 사람 두 명 사는 집에 쓰레기는 얼마나 많이 나오는지 며칠만 지나면 베란다는 가득 찬 재활용 쓰레기로 진입 불가 상태가 된다.

어릴 때는 늘 바닥에 얼굴을 대고 엎드려 놀 정도로 방바닥이 뽀득뽀득했고 화장실에서는 항상 락스 청소 후의 상쾌한 냄새가 났다. 지금은 성인남녀 두 명의 미천한 노동에도 불구하고 집안 청결도는 만족스럽지 않다. 집에 손님이 올 때면 가끔 큰맘 먹고 청소 서비스를 이용하기도 한다. 서비스 후 2~3일 정도는 쾌적한 환경이 유지되지만 그 이후에는 금방 원상복구가 돼버린다. 한 달 내내 깨끗한 집안 환경을 유지하려면 한 달에 최소 열 번 정도는 서비스를 불러야 하고 빨래나 창닦기까지 하면 1회 방문에 최소 7만 원이므로 한 달에 청소비만 70만 원이 드는 셈이다.

2인 가구가 쾌적한 환경에서 양질의 식단을 충족시키며 사는 것도 이리 고단한 일인데 오랜 시간 홀로 큰 살림을 해낸 엄마의 노동력이란 얼마나 대단한 것인가. 가사 노동이란 누구나 할 수 있지만 누구나 잘 해낼 수 있는 영역은 절대 아니다.

아이가 있을 경우 가사 노동의 양은 본격적으로 증폭한다. 한국인 입주 육아도우미의 월급이 최소 350-400만 원에 달하는 것이 그 노동력의 양을 가늠하게 한다.

육아를 포함한 집안일을 하는데 드는 노동력을 모두 외주화한다면 한 달에 얼마의 비용이 들까? 현재의 물가와 돌봄 서비스 시세를 기준으로 합산해 보았다.

구분	청소 서비스 (월 10회, 시중 플랫폼 서비스 기준)	요리 노동 (하루 평균 2시간, 최저시급 9,860원 기준)	육아 돌봄 (1인 자녀, 한국인 입주 도우미 기준, 주말 제외)	합계
월 급여	700,000원	591,600원	3,500,000원~ 4,000,000원	4,791,600원~ 5,291,600원
연봉	8,400,000원	7,099,200원	42,000,000원~ 48,000,000원	57,499,200원~ 63,499,200원

경력 인정에 따른 급여 상승 폭은 반영하지 않았으며 명절, 제사, 가족 행사 등 집안 대소사를 챙기는데 들어가는 가사 노동은 포함하지 않았다. 이것이 독박 육아와 가사 노동까지 완벽하게 도맡아 책임지는 전업 주부의 시장 몸값이다. 청소와 요리, 육아까지 베테랑인 전업주부를 정식으로 고용한다면 최소 1년에 6천만 원 내외의 연봉 계약을 해야 한다. 어지간한 중견, 대기업 과장의 급여 수준이다.

그야말로 전천후 인력으로서 가정에서 기능했던 엄마 세대는 '집에서 살림이나 하는 여자' 취급을 받기 싫어서, 눈치 보며 생활비를 받아 쓰는 것이 싫어서, 자식들에게 더 풍족한 환경을 전해주고 싶어서 일을 하러 나서는 경우가 많았다. 맞벌이로 가계를 일으키면서도 여자가 살림은 뒷전이라 욕먹을까 봐 가사 노동까지 완벽히 책임지려 애썼다. 착한 노동력은 그 대가와 가치를 온전히 보상받기 어려웠다.

아빠의 은퇴 후에 생계뿐만 아니라 집안일에서 자식들 뒷바라지까지 모두 챙기는 엄마를 보며 그녀가 언젠가 자신의 몸값을 당당하게 보상받을 수 있기를 바랐다. 사회에서도 가정에서도 가사 노동의 가치를 정식으로 인정하는 진지한 논의가 있길 바라며 오늘도 부족한 나의 살림 재능을 핑계로 엄마의 공짜 노동력 반찬으로 한 끼를 준비하는 내가 있다. 현재와 미래의 내가 담당하게 될 가사 노동의 가치를 인정받기 위해서라도 지금부터 엄마의 가사 노동으로 제공되는 고품질 서비스에 정당한 값을 지불하기로 다짐해 본다.

몸살

새벽에 갑자기 으슬으슬한 기운이 들어 눈을 떠보니 온몸이 땀에 젖어 이불까지 축축해져 있었다. 한여름에도 땀을 잘 흘리지 않는 체질인데 이상한 일이었다. 아침에 일어나자 근육통으로 온몸이 아팠다.

지난주 다섯 번째 시험관 이식을 하고 일주일이 지났다. 이식을 하고 나면 임신 피검사를 하는 날까지 끊임없는 증상 놀이를 하게 된다. 배가 콕콕 쑤시는 것 같은데 착상통일까? 미열이 좀 있는 것 같은데 임신 증상인 걸까? 궁금함을 참지 못하고 임신 테스트기에 손을 대면 단호한 한 줄을 눈앞에 마주하기 일쑤였다. 피검사를 하기도 전에 실패를 확인하며 도저히 적응되지 않는 좌절감을 매번 맛봐야 했다. 이번 다섯 번째 이식 때는 절대로 미리 임신 테스트를 하지 않기로 다짐했다.

아이를 갖기로 결심한 것은 순전히 조급함과 위기감 때문이었다. 가임력이 급격히 떨어지는 30대 후반이라는 나이, 손주를 바라는 부모님들의 기대, 아이 없는 부부를 바라보는 사람들의 비판 또는 동정 그 어디쯤 되는 시선. 평균 이상으로 평가받는 삶을 지향해온 내가 이런 주변의 압박감들을 견뎌내고 딩크족 부부의 삶을 선택하기는 어려웠다.

사실 이성적 판단으로는 아이를 가져야 하는 이유보다 아이를 가지면 안 되는 이유가 더 크게 와닿았다. 퇴사 결심을 하는데 큰 작용을 한 것 중 하나가 출산 이후의 커리어였다. 아이를 낳고 이전과 동일한 퍼포먼스를 내며 인정받는 것이 얼마나 어려운 일인지 주변 여자 동료들을 보며 뼈저리게 느꼈기 때문이다. 만약 나에게 출산이라는 과제가 없었다면 기존 회사에서 직무에 변화를 주어 장기적인 비전을 세우거나 다른 회사로 이직하는 커리어 계획도 옵션으로 선택할 수 있었을 것이다. 하지만 높은 업무 강도와 스트레스에 생리마저 끊겨버리는 내 몸 상태로는 회사 생활을 선택지에서 제외할 수밖에 없었다.

몇 년 전 이직을 고민하며 한 기업에서 면접을 본 적이 있는데 "출장 다니는 데 문제 되는 상황은 없나요?"라는 질문을 받았다. 그것이 출산과 육아와 관련된 내 결혼 상태를 묻는 질문이라는 것을 바로 알 수 있었다. 즉시 투입 인력이 필요한 기업 입장에서 출산과 육아라는 잠재적 리스크를 지니고 있는 사람을 채용할 수는 없는 것이다.

퇴사 후 내 사업을 준비하는 현재 상황에서도 임신 시점에 따라 언제든 계획을 미루거나 조정할 준비를 해야 했다. 내가 가질 수 있는 많은 선택의 기회를 내려놓아야 하는 상황은 아이가 생기기도 전에 이미 내 삶 속에 깊이 들어와 있었다.

조급한 마음으로 임신을 시도하면서도 내 마음은 엄마가 될 각오를 하지 못했음이 분명했다. 시험관 이식을 할 때마다 이번에는 꼭 성공하기를 바라는 마음과 조금만 더 천천히 가지고 싶다는 마음이 공존했다.

준비되지 않은 어중간한 내 마음을 알아채고 아이가 찾아오지 않는 것일지도 몰랐다.

네 번째 시험관 이식 실패 이후 멘탈이 나간 채 울고 있는 나를 보며 남편이 말했다.

"그냥 아이 없이 살자. 그냥 우리 둘이 잘 살면 되지."

그 말을 들은 순간 내가 느낀 감정은 이제 내려놓아도 된다는 안도감이 아니었다. 남편의 말을 듣자마자 이상하게도 포기하기 싫다는 마음이 불쑥 올라오는 것이 느껴졌다. 지금까지 주변 상황에 떠밀려 어쩔 수 없이 아이를 갖는다고 생각했는데 나를 바라보는 남편의 얼굴 앞에서 우리 둘 사이에서 태어난 아이는 분명 행복할 것이라는 확신이 들었다. 내가 선택한 남편과의 결혼을 행복하게 가꾸어 가고 있는 것처럼 우리 두 사람의 선택으로 태어나는 아이에게도 분명 행복한 삶을 선물해 줄 수 있으리라는 확신이었다.

임신 테스트기에 손을 대지 않은 채 다섯 번째 시험관 이식의 임신 피검사 날이 밝아왔다. 이날도 간밤에 땀을 심하게 흘렸고 이전과는 다른 확신이 내 몸을 가득 채우고 있었다. 병원에서 피를 뽑고 돌아오는 길에 임신 테스트기를 샀다. 그리고 집으로 돌아와 선명하게 뜨는 테스트기의 두 줄을 확인했다. 눈앞이 뿌옇게 흐려지고 코가 시큰거렸다. 이 두 줄을 보기까지 좌절했던 많은 날들이 머릿속으로 스쳐 지나갔다. 잠시 뒤 병원에서 피검사 결과 안정적인 임신 수치라는 전화를 받았다.

변화는 선명하게 찾아왔다. 몸살 기운이 오랫동안 이어져 몸져누울 때가 많았고 얼마 뒤에는 말로만 듣던 입덧이 찾아왔다. 좋아하던 고기는 냄새조차 맡기 싫었다. 전혀 먹지 못할 정도로 입덧이 심한 것은 아니었지만 내 일상의 가장 큰 낙이던 세끼 밥시간에 먹고 싶은 것이 없었다. 특히 밤에 증상이 가장 심해서 변기통을 붙잡고 하염없이 구역질을 해댔다. 이 글 한 편을 쓰는데도 드러누웠다 다시 몸을 일으켜 세우기를 무수히 반복했다. 컨디션이 너무 안 좋아서 한 줄도 쓰지 못하는 날들도 많았다.

임신을 기다리는 1년 넘는 시간이 생명을 맞이할 마음의 준비를 하는 시간이었다면 출산까지의 시간은 한 생명을 책임져야 하는 주체로서 내 몸을 준비하는 시간이다. 그 누구의 선택도 아닌 나의 선택으로 세상에 태어날 아이. 몸살과 입덧은 내가 더 성숙해질 수 있도록 나를 단련시킨다. 이 모든 것을 견뎌내고 책임져야 하는 것은 나라고, 크고 작은 힘듦을 이겨내고 더 단단해져서 강한 엄마로 거듭나라고 나를 다독인다. 아이가 태어나는 순간 그 누구보다 강해야 할 나를 준비하기 위해 나는 인생에서 가장 심한 몸살을 앓는 중이다.

임산부 배지를 숨기며

병원에서 초음파로 아이가 잘 자리 잡았음을 확인했다. 작고 콩알만 한 존재 안에 반짝반짝 빛나는 심장이 보였다. 그리고 건네받은 임신확인서. 국가 공인 임산부가 되는 순간이다. 보건소로 가서 임신확인서를 제출하자 엽산과 철분제, 그리고 분홍색 임산부 배지를 선물로 주었다. 내가 드디어 임산부 배지를 받다니. 출퇴근길 지하철에서 이 배지를 달고 임산부 배려석에 앉아있는 사람들을 볼 때마다 얼마나 부러웠는지 모른다. 냉엄한 좌석 무한 경쟁이 이루어지는 지하철 안에서 내가 앉을 수 있는 자리가 확보된다는 것은 나이, 성별, 직업을 불문하고 엄청난 가치를 지닌다. 이 배지로 나 역시 특권을 누릴 수 있다는 생각에 가슴이 벅찼다.

며칠 뒤 병원에 가는 날, 가방에 배지를 야무지게 매달고 두근대는 마음으로 지하철을 기다렸다. 아침 9시가 조금 넘은 시간이라 출퇴근을 하는 직장인들이 아직도 꽤 보였다. 임산부 배려석 표시가 되어있는 승강장 위치에 자리를 잡고 잠시 후 지하철이 도착하자 우쭐한 기분으로 입장했다. 상기된 표정으로 다가간 첫 번째 임산부 배려석은 연세 많은 남자 어르신이 차지하고 있었다. 조금 당황스러운 마음으로 희망을 잃지 않고 쳐다본 반대편 배려석에는 우리 엄마뻘쯤 되어 보이는 아주머니가 전화로 수다를 떨며 앉아있었다. 분홍색 배지를 매달고 좌석 앞을 지나가 봤지만 그들의 시선을 얻기에는 역부족인 듯했다. 할아버지뻘,

엄마뻘 되는 분들에게 자리를 내놓으라고 시위를 할 수도 없는 노릇이었다. 나는 매달고 있던 배지를 보이지 않게 슬그머니 가방 속으로 집어넣고 출입구 기둥에 기대섰다. 첫 번째 배려석 앉기는 그렇게 실패로 끝나고 말았다.

혹시나 임산부 배려석이 무엇인지 잘 모르고 실수로 앉았을 수도 있다는 생각이 들어서 다른 날도 계속 추이를 지켜봤다. 실제 가임기 여성으로 보이는 사람이 앉아있는 경우는 극히 드물었고 중년 이상의 남성 또는 여성이 자리를 차지하고 있는 경우가 많았다. 이용객이 많은 출퇴근 시간에는 임산부 배려석이 비어있는 확률이 2-30% 정도였지만 빈자리가 여유 있는 시간대에는 95% 이상 되는 확률로 자리가 비어있었다. 임산부 배려석이 가장 목 좋은 가장자리 좌석임에도 불구하고 말이다. 몇 주 동안의 관찰 결과 사람들은 임산부 배려석이 무엇인지 알고도 빈자리가 없으면 앉는다는 결론을 내려야 했다.

어떤 사람들은 임산부가 오면 자리를 비켜줄 생각이었을 수도 있겠지만 굳이 앉아있는 사람 앞에 서서 임산부 배지를 들이밀며 일어나게 해서 서로 민망한 상황을 만들고 싶지 않았다. 게다가 내가 배지를 달고 그 앞에 서있으면 사람들이 흘끔거리며 이쪽을 주시하는 것이 부담스러웠다. 어떻게든 앉아있으려는 사람과 자신의 자리를 빼앗으려는 사람 간 창과 방패의 싸움을 연출하는 것 같아 부담스러워 견딜 수가 없었다.

결국 소심쟁이에 눈치 보기 대왕인 나만의 임산부 배지 사용법이 생겼다. 일단 지하철에 탈 때는 임산부 배지를 꺼내놓지 않는다. 그리고 임산부 배려석이 비어있을 경우 자리에 앉은 뒤 '저 임산부 맞아요'를 인증하는 수단으로 배지가 보이게 슬그머니 꺼낸다. 일반석에 앉을 경우에도 배지는 꺼내지 않는다. 임산부가 일반인들의 소중한 자리 하나를 차지하고 있는 걸로 보이고 싶지 않아서다. 일반석에 앉아있다가도 임산부 배려석이 비면 얼른 일어나서 자리를 옮긴다. 삶이 고단한 일반인들에게 얼른 자리를 내어주어야 한다. 이쯤 되고 보니 오히려 임신 전보다 임신 후에 지하철을 타는 것이 정신적으로 더 피로해지는 기분이었다. 이제는 일반석에 앉을 때조차 남들 입장을 배려해야 한다니. 임산부 배려석 앞에서 임산부 아닌 사람들의 눈치를 보고 있는 내 모습이 퍽이나 우스웠다.

오늘도 임산부 배려석 앞에서 배지를 숨기고 서 있는데 지하철에서 방송이 흘러나왔다.

"임산부를 위해 각 차량에 마련된 임산부 배려석은 비워둬 주시기 바랍니다."

혹시나 하는 기대로 앉아있는 사람들을 흘끔 쳐다봤지만 여전히 미동도 없는 사람들을 보며 다시 머쓱해져서 배지가 보이지 않게 다시 몸을 돌렸다.

임산부 배려석과 관련해 인터넷에 올라와 있는 글들에는 배려는 의무가 아니라는 일반인들의 원성 가득한 의견과 배려받지 못하는 임산부들의 한숨 섞인 글들이 다양하게 존재했다. 사람들의 정서적 합의가 되지 않는 이런 배려가 오히려 임산부들을 눈치 보게 만들고 갈등을 야기하는 상황이라니. 배려를 당당하게 요구하지 못하는 나의 이런 모습이 착한 아이 콤플렉스가 발동한 것인지 타고난 소심함의 발로인지 갈피를 잡기 어렵다. 하지만 어떤 생각을 가지고 있는지 모르는 누군가의 배려를 요구하며 갈등을 야기하느니 차라리 임산부 배지를 숨기기를 택하는 나를 보며 아이를 낳기에 세상은 녹록지 않다고 느끼는 요즘이다.

희생의 아이콘이 아닌 롤모델이 되고 싶어

매주 한 번씩 온라인으로 진행하는 글쓰기 수업에 참여하고 있다. 늘 혹독하게 느끼는 것이지만 글은 마감이 쓰는 것이다. 마감이 없이는 머릿속에 아무리 많은 생각이 들어있어도 활자로 변환되지 못한 채 사라지고 만다. 글쓰기 수업이 부여하는 매주의 마감 덕분에 오늘도 조금씩 글을 써나가고 있다.

이번 주 주제는 '무엇을 쓸 것인가'였다. 소재를 찾는 한 가지 팁으로 관점을 뒤집어서 발견해 보자는 이야기가 나왔다. 선생님은 예시로 '엄마'라는 소재를 들었다.

"많은 사람들이 '엄마'에 대한 이미지를 떠올리면 가장 먼저 '희생'이라는 주제를 생각하고는 하죠. 때로는 이러한 전형적인 인식에서 벗어나 새로운 관점에서 들여다보면 뻔하지 않은 좋은 글이 나올 수 있습니다."

그 말을 듣고 내가 겪어온 엄마와 내가 되려고 하는 엄마에 대해 곰곰이 생각해 보았다.

내가 겪어온 엄마는 가족들을 위해 밥을 차려주는 사람, 아빠를 챙겨주는 사람, 우리 남매들 뒤에서 항상 챙겨주는 있는 사람, 집안 구석구석을 정리하고 청소하고 살뜰히 챙기는 사람, 집안 행사를 준비하고 챙기는 사람, 우리 집 생활비를 벌기 위해 일을 하는 사람, 그리고 우리 가족과 집을 빼고 생각해 보면… 자신만의 인생은 가질 여유가 없었던 사람이었다. 도무지 우리 가족을 떼어놓고 엄마라는 한 인간으로서의 정체성을 정의 내리기가 쉽지 않았다. 그렇다면 나 역시 엄마가 되는 순간 나의 정체성을 대부분 잃게 되는 것일까.

어쩌면 지금까지 내가 엄마가 되는 순간을 자의로, 또 타의로 미루어 왔던 것은 희생의 아이콘으로 대변되는 엄마라는 존재의 무게가 너무도 무겁게 다가왔기 때문이다. 나의 인생은 여전히 진행형이자 성장 중인데 엄마가 되는 순간 나의 노력과 시간으로 일구어진 정체성들을 내려놓아야 한다는 사실이 결심을 주저하게 만들고는 했다.

내 아이가 훗날 '엄마'를 떠올릴 때 생각나는 단어가 '희생'이 아니기를 바란다. 그래서 아이가 훗날 엄마나 아빠가 되기를 주저하지 않기를 바란다. 나는 아이에게 희생의 아이콘이 아닌 '롤모델'이 되고 싶다.

너를 위해 나의 꿈을 포기하고 좋은 엄마가 되기 위해 최선을 다했노라고 말하지 않을 것이다. 나의 남은 인생을 너를 위해 바쳤노라고 말하지 않을 것이다.

스스로 아이에게 당당할 수 있는 멋진 인생을 만들어나가기 위해 월급쟁이 회사원보다 더 행복하게 일하는 내가 되고 싶다. 나의 일을 사랑하면서도 가족과의 행복, 그리고 건강을 소중히 가꾸어 나가는 그런 멋진 엄마가 되고 싶다.

마감 덕분에 글을 써나갈 수 있는 것처럼, 이런 내 꿈과 다짐도 아이가 태어날 날을 준비하며 나날이 구체화되고 결국에는 현실이 될 것을 믿는다.

나는 아이에게 희생의 아이콘이 아닌 롤모델로 불리는 엄마로 성장하고 싶다.

5장

용감한 어른

나의 소라집

나는 식물을 기르는 데 영 소질이 없다. 회사에 다닐 때 전 임직원 대상 조직문화 교육을 받으면서 '파키라'라는 식물을 하나씩 선물 받았다. 직원들은 자신의 이름과 꿈을 적은 파키라 화분을 책상 위에 올려두고 각자의 방법대로 기르기 시작했다. 나도 때때로 물을 주며 죽지 않게끔 잘 보살폈다. 파키라가 뿌리를 내리고 있는 화분은 사방이 막혀 있는 작고 동그란 모양을 하고 있었는데, 책상 위에 두고 보기에 적당하고 귀여운 사이즈였다. 몇 년이 지나도록 내 파키라 화분은 내 책상 위에서 꾸준히 생명을 이어갔고 죽지 않고 잘 자라주는 것만으로도 고마웠다.

어느 날 다른 팀에 일이 있어 들렀다가 통로 쪽에 자리 잡은 내 키만한 큰 화초를 발견했다. 싱싱한 푸른 잎을 잔뜩 뻗고 있는 덕에 사무실 공기도 상쾌하게 느껴졌다. 그 모습이 무척 멋져서 한동안 쳐다보고 있으니 근처에 있던 K 차장이 빙긋이 웃으며 다가왔다. 평소 화분을 돌보는데 관심이 많은 그였다.

"어때요? 내 파키라 멋지죠?"

나는 순간 이해가 안 되어 되물었다.

"네? 파키라요? 몇 년 전 교육 때 나눠준 그 파키라요?"

K 차장이 어깨에 잔뜩 힘을 주며 대답했다.

"예. 분갈이를 해줬더니 계속 자라서 이만큼 컸어요."

순간 책상 위에서 작은 생명을 겨우 유지하고 있는 내 파키라를 떠올렸다. 도대체 무엇이 두 파키라를 이토록 달라지게 했을까?

국립언어원 사전에 따르면 '기르다'와 '키우다'는 말에는 의미의 차이가 있다. '동식물을 보살펴 자라게 하다.', '아이를 보살펴 키우다'의 뜻을 나타낼 때는 '기르다'를 쓰고, '동식물의 몸의 길이가 자라다.', '사람이 자라서 어른이 되다.'라는 뜻을 나타낼 때는 '키우다'를 쓴다.

나는 파키라를 내 책상 위에서 '기르는' 것에 겨우 만족했고, K 차장은 파키라에게 분갈이를 해주면서 더 크게 성장할 수 있는 환경에서 쑥쑥 '키워냈다'. 더 자랄 수 있는 가능성을 보고 더 클 수 있도록 기회를 마련해 준 것이다. K 차장이 키워낸 파키라는 한 사람만의 식물이 아닌 많은 사람에게 맑은 공기를 선물하는 좋은 식물로 멋지게 성장했다. 이처럼 어떤 존재에 대한 이해도와 관심의 깊이에 따라 생명은 그저 길러지기도, 세상에 좋은 영향을 주는 존재로 크게 키워지기도 한다.

잘 키워질 수 있는 좋은 환경이란 남들 기준에 좋은 조건이 아니라 자신에게 잘 맞는 조건이어야 한다. 초등학교 때 엄마 친구분에게 집게 두 마리를 선물 받았다. 동그란 고둥 껍질을 등에 지고 있는 두 집게는 건강하게 쑥쑥 자랐다. 집게들이 자갈을 밟으며 내는 샤각샤각 소리를 들으면 기분이 좋았다. 그런데 어느 날부터인가 집게들의 움직임이 눈에 띄게 둔해지고 활기가 없어지기 시작했다. 걱정이 되어 백과사전과 온갖 책을 뒤져 조사를 해보니 집게는 성장하며 몸이 커지면 적당한 고둥 껍질로 이사를 해야 한다고 했다. 나는 엄마에게 부탁해 횟집에서 큰 소라 껍질 두 개를 구한 뒤 어항에 넣어주고 기다렸다.

며칠이 지나 놀랍게도 한 마리가 새로 넣어준 껍질로 이사를 하는 모습을 목격했다. 기존 집에서 서서히 빠져나온 집게의 몸뚱아리를 숨죽이고 지켜보았다. 껍질 없이 맨몸이 된 집게의 모습은 무척이나 연약해 보였다. 집게는 천천히 몸을 움직이더니 마침내 커다란 새 집 안으로 들어가 자리를 잡았다. 커다란 새 소라 껍질을 등에 지고 있으니 어엿한 어른 집게의 모습이 되었다. 움직임도 한결 여유로워 보였다. 하지만 남은 한 마리는 좀처럼 이사 갈 기미가 보이지 않았다. 며칠을 더 기다린 뒤에 발견한 것은 헌 집에서 빠져나와 맨몸을 드러낸 채 말라 죽어버린 집게였다. 집게는 마음에 드는 소라가 없으면 집갈이를 하지 않는 경우도 존재한다고 했다. 그 집게는 남겨진 하나의 새 소라껍질이 마음에 들지 않았음이 분명하다. 집게는 자신의 조건에 맞지 않는 소라껍질로 차마 이사 가지 못하고 포기를 선택했다.

나의 시간 또한 흘렀다. 착한 아이가 되고 싶었던 나는 어른들이 좋다고 정해준 환경에 맞춰 길러졌지만 어느 순간부터 좀처럼 성장하지 못한 채 답답함을 느꼈다. 좋은 학교, 좋은 회사라는 번듯한 소라껍질을 썼지만 맞지 않는 옷을 입은 듯 내면에는 우울함이 커져만 갔다. 사람들은 그 좋은 직장을 다니면서 왜 우울해하냐고 의아해했지만 나는 그 안에서 나 자신을 키우지 못하고 있다는 사실을 이내 깨달았다. 남들 눈에만 예쁜 소라집이 아니라 내 몸에 잘 맞는, 그래서 나를 더 편하게 움직이게 해주는 큰 소라집으로 이사 갈 것이다. 자신에게 맞는 소라집을 찾아 자신을 키워내는 여정, 그것이 진정으로 성장하는 삶이라 믿기 때문이다.

관상용 화분에서 더 큰 화분으로, 더 나아가 대지라는 큰 땅으로 뿌리를 내려 마침내 드넓은 세상에 맑은 공기를 선사하는 존재가 될 수 있도록 나 자신을 키우는 분갈이를 끊임없이 하며 살아가고 싶다.

타인의 기대를 버려야 어른으로 피어난다

'성인'이 단순히 만 19세가 된 사람이라는 생물학적, 법적 의미를 지닌다면, '어른'은 다 자라서 자기 일에 책임을 질 수 있는 사람을 의미한다. '어른'은 '얼우다'라는 동사에서 파생된 '얼운'이라는 단어가 변한 것인데 옛날에는 결혼을 하여 남녀가 관계를 맺고 자식을 낳아 책임질 수 있는 사람이라는 의미를 가졌다. 요즘 세상에서 '어른'의 의미는 단지 남녀의 결합이 아닌 사회와의 결합 속에서 자신의 역할을 하며 책임질 수 있는 사람이라는 의미로 확장되었다.

회사를 그만두기로 결심하기까지 몇 년 동안 많은 고민이 있었다. 현실적인 고민은 회사 밖으로 나와서 무슨 일을 할 것이며 돈은 어떻게 벌 것인가 하는 문제였다. 생각보다 그 부분은 큰 걱정이 되지 않았다. 당장 큰돈을 벌지 못하더라도 편의점이나 카페 알바라도 해서 최소 생계비를 벌면 당상은 살아가는 데 큰 문제가 없다고 생각했다. 퇴사 후에 내가 목표한 바를 이루지 못하더라도 내 삶 하나는 어떻게든 책임질 자신이 있었다.

내 결심을 머뭇거리게 하는 문제는 따로 있었다. 회사라는 간판을 떼고 나서도 부모님에게 자랑스러운 딸, 시부모님들에게 자랑스러운 며느리로 당당하게 인정받을 수 있을까를 고민했다. 부모님들은 나를 어느 회사 다니는 능력 있는 딸, 며느리로 어디서든 자랑스럽게 이야기했을 것이다. 회사에서 받던 월급이 사라지면 지금까지처럼 용돈을 자주 드리거나 좋은 선물을 해드리는 것도 쉽지 않을 것이었다. 내 경제력의 근간이었던 회사 월급 없이, 내 정체성의 큰 기둥이었던 회사라는 소속 없이 어른들의 기대를 충족시키는 자랑스러운 자식으로 기능할 수 있을지 적지 않은 두려움이 앞섰다. 최소한 현재의 안정적인 직장을 다니며 버텨낸다면 나를 아는 주변 사람들을 실망시키지 않을 것이라는 생각이 계속해서 나를 사로잡았다.

오스트리아의 심리학자인 알프레드 아들러는 타인의 기대와 나의 목적을 분리해야 한다고 강조했다. 내가 어떤 선택을 했을 때 상대방이 실망하는 것은 그 사람이 감당해야 할 감정이라는 것이다. 아들러는 내가 타인과 분리된 개체이며 수평관계임을 인정해야 올바른 인간관계를 정립할 수 있다고 이야기한다. 누군가에게 인정받고자 하는 욕구는 상대방과 나의 관계를 상하관계로 간주한다는 방증이다. 나 역시 타인에게 좋은 평가를 받고 칭찬받음으로써 내 존재의 가치를 찾으려는 어린아이식 생존 사고에 여전히 지배당하고는 한다.

어른이 되어서는 자신만의 삶의 기준을 세우고 신체적으로나 정신적으로 독립해야 한다. 하지만 성인이 되어서도 우리는 여전히 타인의 기대를 충족시키는 것을 삶의 기준으로 삼는 경우가 많다. 많은 부모들 역시 자식들을 어른으로 독립시키지 못한 채 자신의 테두리 안에서 놓지 못한다.

어른으로서의 나는 더 이상 타인의 기대를 충족시키기 위해 존재하지 않는다. 우리는 그저 각자의 자리에서 평등하게 존재할 뿐 누구도 나를 평가할 권리는 없다. 누군가에게 좋은 평가를 받기 위해서가 아니라 내가 사랑하고 중요하게 생각하는 세상의 가치를 충족시키기 위해 살아가고 싶다.

꽃은 누군가의 기대를 충족시키기 위해 피지 않는다. 그저 자신이 할 수 있는 최선을 다해 자신의 속도대로 꽃을 피울 뿐이다. 누가 봐주지 않아도 꽃은 이 세상에 필요한 하나의 생명으로서 자신을 피워낸다. 늦게 피는 꽃이 빨리 피는 꽃보다 열등하다고 말할 것인가. 민들레가 장미보다 못하다고 말할 것인가. 평가받는 꽃은 인간에게 팔리기 위한 관상용 꽃뿐이다. 관상용 꽃다발의 생명력은 유한하다. 꽃다발 재료로 팔리기 위한 비닐하우스 속 화초가 아닌 봄여름가을겨울을 오롯이 이겨내 세상 속에 단단히 뿌리를 박는 들꽃이 되고 싶다. 누가 봐주지 않아도 당당히 꽃을 피우고 이 세상에 무한한 생명력을 뻗어나가는 어른 꽃이 되고 싶다. 비록 시간이 걸리더라도 세상에 필요한 가치를 주는 나만의 삶의 기준을 만들고 행복하게 즐기며 나아가고 싶다.

우리는 타인이 아닌 세상과 '얼우는' 진정한 어른으로 성장했는가. 남들이 추켜세워주는 좋은 간판 없이도 세상 누군가에게 도움이 되는 나만의 일을 하고 싶다. 내가 하는 일을 통해 세상에 작게나마 역할을 할 수 있다면 세상과 얼우는 어른으로서 진정으로 행복한 나를 만날 수 있을 것 같다. 타인의 기대를 충족시키며 사랑받으려는 아이의 삶에서 벗어나 내가 만든 삶을 책임지며 그 안에서 사랑을 베푸는 어른으로 우뚝 설 수 있어야 진정으로 자유로운 삶을 얻을 수 있다.

거절이라는 이름의 책임감 ①

나는 거절하는 것을 매우 불편해한다. 어떤 선택의 상황이 왔을 때 내가 크게 손해를 보는 경우가 아니라면 상대방에게 그 선택을 유예하는 편이 마음이 편하기도 하다. 그 선택의 결과가 좋든 나쁘든 내 책임 소재에서 상당 부분 벗어날 수 있기 때문이다. 물건을 살 때나 어떤 서비스를 이용할 때도 내가 원하는 것을 명확하게 요구하는 데 불편함을 느낀다. 상대방에게 까탈스럽거나 꼬장꼬장한 사람으로 보이고 싶지 않기 때문이다.

"물 온도는 괜찮으신가요?"

"더 헹구고 싶은 데는 없으신가요?"

"아프거나 불편한 데는 없으신가요?"

미용실이나 마사지샵에서 자주 받는 저런 종류의 질문에 한 번도 '아니요'라는 대답을 하지 못했다. 차가운 물에 뇌가 마비될 것 같아도, 샴푸 거품이 귀를 간지럽혀도, 마사지 힘이 너무 세서 며칠간 몸살이 날 정도여도 좀처럼 말하지 못하고 꾹 참았다. 상대방이 당황하거나 상처받으면 마음이 불편하기 때문이다.

겨울이 아름다운 강원도 속초의 한 리조트로 언니네 부부와 같이 여행을 갔을 때 일이다. 남편은 회사에 일이 있어 하루 일찍 먼저 올라갔고, 나는 언니네와 같이 맛있는 음식도 먹고 좋은 풍경도 보며 남은 여유를 즐겼다. 회사 일로 쌓인 피로 때문에 몸이 찌뿌둥했던 나는 리조트 내에 있는 한 스파샵의 마사지를 예약했다. 내가 좋아하는 아로마 오일 마사지를 몇 년 만에 받으며 피로를 풀고 싶었다. 형부가 결제할 때 쓰라며 카드를 줘서 무척 고마웠다. 꽤 이름있는 브랜드의 체인 리조트여서 스파샵의 서비스도 좋을 것이라 잔뜩 기대하며 저녁을 먹은 후 예약 시간에 맞춰 방문했다. 스파샵은 골프장과 가까운 리조트 건물 지하에 있었는데 늦은 시간이라 골프 이용객도 없어서인지 주변 로비와 통로가 인적없이 조용했다.

안으로 들어가자 젊은 남자 직원과 나이가 좀 있어 보이는 여자 직원이 입구에 서 있었다. 여자 종업원은 퇴근을 하려던 참인지 외투를 입고 있었고 내가 마지막 예약 손님인 듯 샵 안은 조용했다. 남자 직원이 카운터에 서서 나를 응대했다.

"마사지 제가 해드릴 건데 괜찮으신가요?"

1초도 안 되는 시간 동안 머리 속으로 많은 생각이 복잡하게 뒤얽혔다. 아로마 오일 마사지는 속옷만 입은 채 타월로만 몸을 가리고 진행하기에 신체 접촉이 불가피하다. 하지만 그동안은 늘 여자 마사지사에게

만 받아왔기 때문에 노출이나 신체 접촉으로 불편함을 느끼는 일은 없었다. 그리고 신체적으로 민감한 부위는 마사지 코스에 포함되지 않기 때문에 마사지사가 세심하게 배려하며 진행한다면 크게 문제 될 것이 없었다. 그런 문제를 차치하고서라도 내 눈앞에는 퇴근을 목 빠지게 기다리며 외투를 입고 있는 여자 직원이 있었다. 게다가 나는 거절의 말을 하지 못하는 사람이다. 내가 만약 남자 직원 대신 여자 직원에게 마사지를 받겠다고 하면 전문 직업인인 남자 직원에 대한 엄청난 결례이며, 여자 직원의 퇴근까지 방해하게 된다는 생각에 미치자 나는 있는 힘껏 쿨한 표정과 목소리를 연기하며 대답할 수밖에 없었다.

"네 괜찮아요."

형부의 카드로 결제하는 동안 나는 속으로 끊임없이 나 자신을 안심시켰다. '남자 미용사한테도 머리 자르잖아. 남자 산부인과 의사한테도 진료받잖아. 이 사람도 프로이고 전문가인데 믿고 맡겨야지. 걱정하는 것부터가 실례잖아.'

애써 태연한 척하며 마사지실 안으로 안내를 받고 부직포 재질로 된 1회용 팬티 하나를 건네받았다. 남자 직원은 1회용 팬티로 갈아입고 마사지베드에 누워있으라고 했다. 내가 예상했던 것과는 다르게 마사지샵 안에는 탈의실이 따로 없었고 마사지 전후에 착용하는 가운도 없었다. 남자 직원이 잠시 나가 있는 동안 옷을 벗고 얇은 1회용 팬티로 갈

아입으며 나는 당황해서 사고가 정지되어 버렸다. 가운이 없으면 도대체 상의는 무엇을 입어야 하는 것인지 식은땀을 흘리며 고민하다가 브래지어를 벗지 않은 채 마사지 베드 위 타월로 몸을 가리고 누웠다. 직원이 돌아오면 물어봐야겠다고 생각했다.

잠시 후 직원이 들어와 내가 덮고 있던 타월을 젖히더니 브래지어도 벗으라고 말했다. 나는 과거에 마사지를 받았을 때의 기억을 떠올려보았다. 마사지를 받으면서 아무것도 걸치지 않은 채 맨몸을 그대로 드러낸 적이 있었던가. 내가 고민하는 동안 그 직원은 독촉하는 눈으로 나를 빤히 쳐다봤다. 브래지어를 벗는 동안 나가서 기다리라는 말을 나는 직원에게 하지 못했다. 마사지를 받으려면 브래지어를 벗는 것이 당연한데 왜 우물쭈물하고 있냐는 능청스러운 시선이 느껴졌다. 당당하게 나를 쳐다보고 있는 남자 직원의 눈을 피한 채 얼른 브래지어를 벗고 타월 밑으로 들어가 누웠다. 차라리 처음부터 벗고 누워있었어야 했나 후회하며 반나체 상태로 수치스러움을 느꼈다. 지금 생각해 보면 이때부터 분명 무언가 잘못되고 있었다.

타월을 덮고 엎드린 채로 마사지가 시작되었다. 직원은 어깨부터 팔, 다리의 순서로 타월을 조금씩 들춰가며 마사지를 해나갔다. 마사지 초반부터 불편함이 느껴졌다. 전혀 시원하지 않고 아프기만 했다. 손압의 문제라기보다는 스킬의 문제 같았다. 압력을 조절해서 해결될 문제가 아닌듯했다. 그다음부터는 아픈 것이 문제가 아니었다. 직원의 손이 미묘하게 내 민감한 신체 부위를 자꾸 스쳤다. 오일 때문에 손이 미끄러져 실수하는 것이라 애써 생각해 보았다. 하지만 하체 마사지를 할 때쯤에는 직원의 손이 내 엉덩이를 대놓고 주무르고 있었다. 머릿속이 하얘졌다. 마사지할 때 원래 엉덩이를 저렇게 마구 주무르는 것이었나. 내 기억 어디에도 이런 마사지를 받아본 경험은 없었다.

샵 안에는 직원과 나 둘뿐이었고, 늦은 밤 건물 안의 인적은 드물었고, 사람이 많은 곳까지는 계단과 에스컬레이터로 몇백 미터는 떨어져 있었다. 소리를 지를까, 벌떡 일어나 옷을 들고 벌거벗은 채로 도망을 갈까 머릿속으로 수많은 시뮬레이션을 가동했다. 내 엉덩이를 맘먹고 주무르는 남자에게서 도망가려는 시도가 과연 성공할 것인지 확신이 들지 않았다. 섣부른 반항이 남자를 자극해 더 위험한 상황이 벌어질 수 있다는데 생각이 미치자 무력감이 나를 지배하기 시작했다.

남자는 나에게 돌아누우라고 했다. 얼굴 마사지를 먼저 하겠다며 얼굴에 팩을 얹었다. 점점 굳어가는 머드팩이 내 눈과 입을 봉쇄했다. 그 다음부터 남자는 거침이 없었다. 타월을 모두 들추고 부위를 가리지 않은 채 내 몸을 주물러 댔다. 나는 공포심에 몸이 굳어 찍소리도 하지 못했다. 급기야 마사지 끝에는 최후의 보루였던 1회용 팬티마저 내려가는 것이 느껴졌다.

순간 나를 꼼짝 못 하게 옭아매고 있던 공포심과 무력감이 머리 속에서 탁 하고 해제됐다. 나는 소리쳤다.

"당장 그만두고 나가!!!!"

거절이라는 이름의 책임감 ②

마사지사가 당황하며 방에서 나간 뒤 나는 옷을 챙겨 입고 언니에게 전화를 했다. 오면서 리조트 직원을 불러오도록 했다. 마사지실 안에서 언니와 형부가 올 때까지 기다려보았지만 샵이 워낙 구석진 곳에 있어서인지 한참이 지나도 오지 않았다. 이 상태로 계속 시간을 지체할 수는 없었다. 나는 깊은숨을 들이마신 뒤 두려움을 다시 한번 떨쳐내며 마사지실 밖으로 나갔다. 남자가 카운터에 정자세로 서있었다. 나는 질문했다.

"왜 그랬어요? 여기 불건전 마사지샵인가요?"

남자가 대답했다.

"아닙니다. 죄송합니다. 따뜻한 차라도 한 잔 드시죠"

이 상황에서 따뜻한 차를 권하는 능청스러움이라니 기가 차고 소름이 돋았다.

"아니, 죄송하다가 아니라 왜 그랬냐고 묻잖아요!"

그리고 내 이성을 끊어놓는 대답이 돌아왔다.

"… 기분 좋게 해드리려고 그랬습니다. 환불해 드릴 테니 경찰에 신고만 하지 말아주십시오."

그 말을 듣는 순간 내가 처음이 아닐 것이라는 생각이 들었다. 대부분 먼 타지에서 관광오는 손님들이니 혹시 이런 일을 겪더라도 일을 크게 만들고 싶지 않아 넘어가는 경우도 많을 것이다. 가족, 친구들과 기분 좋게 여행 와서 경찰을 부르고 조사를 받으며 모두의 시간을 망치고 싶지 않았을 것이다. 형부가 준 신용카드를 보자 미안한 마음이 울컥 올라왔다. 경찰에 신고하고 조사를 받게 되면 언니와 형부의 여행도 엉망이 될 텐데, 남자한테 마사지를 받다가 이런 일을 당했다고 하면 남편이나 다른 사람들은 어떻게 생각할까, 처음부터 내가 제대로 대처했더라면 이런 일을 당하지 않았을 텐데 등 온갖 생각이 내 마음을 괴롭혔다. 나 하나만 참고 넘어가면 모두가 편할 텐데 이렇게 난리를 피워도 되는 것인지 나보다는 남들의 입장과 시선이 먼저 신경 쓰였다. 긴장한 상태로 두 시간 가까이 온몸에 신경을 곤두세우고 있다 보니 쓰러질 듯 피곤했다. 그저 이 모든 상황을 내려놓고 쉬고 싶은 생각에 똥 밟은 셈 치고 그냥 넘어갈까 하는 생각도 들었다.

잠시 뒤 언니와 형부가 리조트 직원들과 함께 도착했다. 많은 생각들이 나를 주춤거리게 했지만 기왕 남의 입장을 생각한다면 혹시 똑같은 일을 겪었을지도 모르는 과거의 피해자들과 또다시 이런 일을 겪을지도 모르는 미래의 피해자들을 위해 행동하자고 결심했다. 나는 리조트 직원에게 말했다.

"지금 당장 경찰에 신고해 주세요."

얼마 뒤 경찰이 오자 남자는 발뺌을 하기 시작했다. 정당한 마사지 과정을 행했을 뿐 고의로 불필요한 신체 접촉을 한 적은 없다고 했다. 그 모습을 보자 참고 있던 눈물이 터져 나왔다. 남자는 경찰에 연행되어 밤샘 조사를 받았고 나 역시 이른 아침 경찰서로 가서 네 시간 넘는 조사를 받았다. 조사관은 나에게 수많은 질문을 했다. 왜 늦은 시간에 마사지를 받았는지, 왜 남자 직원한테 마사지를 받았는지, 왜 처음부터 싫다고 거절하지 않았는지 내 선택에 끊임없이 의문을 제기하고 확인을 요구했다.

남자가 위에서 아래로 만졌는지, 좌에서 우로 만졌는지, 두 손가락으로 만졌는지 세 손가락으로 만졌는지, 꼬집듯이 만졌는지, 주무르듯이 만졌는지 내가 당했던 일을 내 입으로 생생하게 다시 말하게 했다. 일상에서는 차마 대놓고 말하지 못하는 내 신체 부위의 명칭을 언니와 형부 옆에서 생물학적 어휘 그대로 발음하는 것이 가장 고역이었다. 행복했어야 할 강원도 여행은 그렇게 경찰서에서의 조사로 막을 내렸다.

경찰서에서 몇 번인가 연락이 왔고 경찰은 대질신문에 참석할 것을 권했다. 가해자가 계속 발뺌을 하고 있어 피해자가 있는 상황에서 대질

신문을 하면 거짓말을 하지 못하고 조사에 진전이 있을 것 같다고 했다. 몇 달 만에 다시 강원도로 갔다. 경찰은 반 평도 되지 않는 좁은 조사실 책상 앞에 가해자와 나를 나란히 앉혔다. 남자의 체온이 느껴질 정도로 가까운 거리였다. 남자와 한 공간에 다시 마주하자 공황장애 증상이 찾아왔다. 숨 쉴 수 없는 괴로움을 느끼며 밖으로 뛰쳐나가 화장실에서 호흡을 겨우 되찾은 뒤 나는 힘겹게 다시 조사를 시작했다. 쉬는 시간마다 남자와 단둘이 남게 될 것이 두려워 화장실 좁은 칸 안에 몸을 숨겼다. 남자는 정당한 마사지 과정이었다며 말도 안 되는 논리를 계속 펼쳤고 이른 오후에 시작된 조사는 해가 다진 저녁이 되어서야 끝이 났다.

코로나 때문인지 재판은 더디고 느리게 진행되었다. 검찰인지 법원에서 몇 번인가 연락이 와서 합의 의사가 있는지 물어왔다. 합의 의사가 있으면 피고 측 변호사에게 내 연락처를 가르쳐준다고 했다. 나는 피해자에게 내 정보가 노출되는 것이 두려워 합의 의사가 없다고 단호하게 거절했다.

몇 달 후에는 법원에서 재판 출석 요청이 왔다. 회사에 다니는 언니와 남편의 시간을 계속 뺏을 수 없었기에 혼자 버스를 타고 또 몇 시간을 달려갔다. 법정에서 검사가 내 신체 부위의 명칭을 또박또박 외치며 피고가 이렇게 만졌네 저렇게 만졌네를 소상히 밝혔다. 그리고 존경하는 판사님들과 청중들 앞에서 피고가 내 몸을 위에서 아래로 만졌는지, 좌에서 우로 만졌는지 순서대로 다시 한번 묘사하게 했다. 피고 측 변호사는 왜 처음부터 싫다고 말하지 않았냐는 둥, 눈을 가리고 있었는데 팬티를 벗기는지 어떻게 알았냐는 둥 시트콤보다 웃기는 질문을 나에게 해댔다.

그 사건이 있은 후 1년이 넘도록 최종 선고는 나오지 않았다. 그 후 몇 번의 재판이 더 열렸고 한참의 시간이 더 흐른 끝에 피고가 1년의 징역형을 선고받았다는 소식을 들었다. 나쁘지 않은 결과였지만 한편으로는 두려웠다. 남자의 출소일을 계산해 보며 혹시나 어느 날 내 앞에 나타나 해코지를 하지는 않을지 걱정으로 잠 못 이루는 날도 있다. 혹시라도 내가 어떻게 살고 있는지 노출이 될까 두려워 내 SNS 계정의 업데이트는 그 사건 이후로 멈춰 있다.

여전히 그날을 떠올릴 때면 카운터 앞에서, 마사지실 안에서 불편한 거절을 바로 하지 못한 나를 후회한다. 그런 내 행동의 대가를 책임지기 위해 감당해야 했던 과정은 통쾌하기보다는 괴로웠다. 그래도 오늘의 나 앞에서 조금은 당당할 수 있는 것은 어린 날의 나처럼 이 일을 가슴 속에 묻어두지 않고 상황을 정면돌파했기 때문이다. 이제는 잘 알고 있다. 정당한 거절을 하는 것이야말로 나를 지키고 존중하는 책임감 있는 행동이라는 것을. 타인이 아닌 내 감정을 먼저 지킬 줄 알아야 당당하고 행복한 어른으로 성장할 수 있다는 사실을 말이다.

자유로워지려면 용기가 필요하다

"언니, 요즘 뭐 하고 지내요?

퇴사 후 6개월이 지났을 무렵 같은 회사에 다니던 후배에게 연락이 왔다. 회사에 다닐 때는 누군가가 안부를 물으면 요즘 회사 일이 얼마나 힘든지, 상사 때문에 얼마나 스트레스를 받는지를 토로하며 내가 얼마나 열심히 살고 있는지 증명하려고 했다. 그런데 더 이상 회사원이 아닌 입장에서 내 요즘 근황을 설명하자니 쉽사리 입이 떨어지지 않았다. 퇴사 후 내 생활은 자유롭고 평화로웠지만 사실은 불안정했고 아직 누군가에게 내세울 만한 어떤 성과를 내는 상황도 아니었다.

태어나 처음으로 내가 속한 조직에서 스스로 떠나겠다는 공식 문서를 작성하던 날, 퇴사를 고민하기 시작한 시점부터 퇴직원을 쓰기까지 3년이 넘는 시간이 걸렸다. 내 마음의 결론은 진작부터 나 있었는데 사실은 용기가 나지 않았다. 정해진 기준에 따라 성취를 해내면 적절한 보상이 따르는 울타리 속 세상에 너무 익숙해져 있었다. 자유를 찾아 떠난 울타리 밖의 삶이 더 나아질 것인지 불확실했고 얻게 될 것보다 잃게 될 것이 먼저 떠올랐다.

에리히 프롬은 『자유로부터의 도피』에서 "자유를 가진 개인이 욕구를 표출하고자 하는 상황에서 자신의 여건이 뒷받침되지 않을 때 자신에 대한 회의와 열등감을 느끼는 원인이 될 수 있다."라고 말했다. 대다수의 사람들이 그 문제를 해결하기 위해 절대다수가 속해있는 메커니즘과 흐름에 자신을 편입시키고, 그 속의 룰과 권위에 순응하면서 안정감과 자신감을 회복하는 쪽을 택한다는 것이다.

확실히 그러했다. 회사 안에서는 행복하지 않았지만 삶의 안정성이 보장됐다. 업무 능력도 꽤 인정받는 편이었다. 원한다면 하루 세 끼를 회사에서 먹을 수 있었으며, 아파서 병원에 가면 회사에서 의료비를 지원받았다. 하루의 계획과 1년의 계획을 모두 회사 업무 스케줄에 맞추어야 했고 과도한 업무와 스트레스에 몸과 마음이 병들어간다는 것을 알고 있었지만 내 생계를 담보해 주던 회사를 떠나 자유를 선택했을 때나 혼자 책임져야 할 것들의 무게가 너무도 무겁게 느껴졌다. 하루하루 작은 용기들을 모아 수백, 수천 일의 결심을 쌓은 끝에 나는 드디어 오래된 밥줄을 스스로 끊고 울타리 밖으로 나올 수 있었다.

출근을 하지 않은 다음 날부터 다른 시간이 흐르기 시작했다. 여유롭게 일어나 따사로운 햇살을 받으며 커피를 마신다. 시에서 운영하는 스포츠센터에서 아침 요가 클래스도 듣는다. 평일 오후라 여유로운 동네 도서관에 가서 책도 뒤적거려 본다. 남편이 퇴근하는 시간에 맞춰 저녁 밥상도 준비한다. 해내야 할 일이 아닌 하고 싶은 일을 매일 적어서 하나씩 해보기 시작했다.

퇴사 후 많은 사람들이 당장 어디로 여행을 갈 거냐고 마치 약속이나 한 듯 물었다. 하지만 나에게는 회사에 가지 않는 하루하루가 살면서 경험해 보지 못한 보석 같은 시간이자 신선한 경험이었다. 월요일 출근을 생각하며 스트레스받고 몸을 사리며 쉬는 그런 주말이 아니었다. 회사에 급한 일이 있을까 봐 수시로 메일을 확인하고 핸드폰을 놓지 못하는 그런 휴가가 아니었다. 굳이 여행을 가지 않아도 이토록 자유롭고 즐거울 수 있다는 것을 사회인이 된 이후 처음으로 깨달았다. 시간의 자유가 공간의 자유보다 더 짜릿한 일임을 깨닫게 되는 하루하루였다. 회사에서 정해 놓은 일정이 아닌 내가 정한 일정에 따라 움직이는 것이 이렇게도 가슴 설레고 자유로운 일이었던가. 이 자유를 13년 넘게 누리지 못한 채 시간에 구속당해 온 나 자신이 안쓰럽고 미안하기도 했다.

그러나 한두 달이 지날 무렵부터 자유를 누리는 행복과 동시에 불확실성에서 오는 불안감이 점점 나를 압박해 왔다. 독립의 목표는 내가 좋아하는 일을 지치지 않고 밀고 나갈 수 있고, 세상에 도움이 된다는 만족감을 줄 수 있는 일을 스스로 만드는 것이었다. 지금까지의 시간과 경력을 내려놓고 처음 사회에 발을 내디딘 사람처럼 매일 공부하고 준비했다. 확신이 드는 날도 있었고 생각의 원점으로 돌아와 헤매는 날도 있었다. 어떤 날은 혹시나 하는 불안감에 채용 사이트를 뒤적거리기도 했다. 그 누구에게도 간섭받지 않는 대신 그 불안감과 결과까지도 오롯이 내가 책임져야 하는 자유의 대가였다.

내가 선택한 자유로부터 도망치지 않으려면 더 부단히 노력하고 용기 있는 사람이 되어야 한다. 오로지 나라는 사람을 믿고 나아갈 수밖에 없었다. 평생 동안 지켜봐 온 나라는 사람은 시간이 걸리더라도 결국 목표를 이룰 수 있는 맷집이 있는 사람이다. 그렇게 매일 아침 스스로에게 용기를 주며 하루를 시작한다. 어떻게 지내냐는 사람들의 물음에 나는 나 자신을 위해 이렇게 대답하곤 한다.

"매일 조금씩 더 용감해지는 중이야."

일어날 일은 일어난다

고등학교 친구들과 세 명이서 곧 중국으로 돌아간다는 푸바오를 보기 위해 에버랜드에 갔다. 아침에 문을 열자마자 판다월드 앞으로 뛰어가 한시간 반을 기다린 끝에 5분동안 푸바오와 러바오를 만날 수 있었다. 판다들은 나무 위에 늘어져서 죽순을 뜯으며 망중한을 즐기고 있었다. 한국에서 태어난 푸바오지만 세계의 모든 판다에 대한 소유권이 중국 정부에 있는 관계로 푸바오는 자신이 어디서 살지 선택권을 가지지 못하고 낯선 중국 땅으로 떠나야만 한다.

이어서 방문한 사파리월드에서는 사자, 호랑이, 곰, 기린, 얼룩말 등이 잘 가꾸어진 작은 초원을 거닐며 투어버스를 따라다니는 모습을 볼 수 있었다. 버스 기사들이 던져주는 먹이를 받아먹으며 한가로운 일상을 보내는 모습이었다. 사냥을 할 필요도, 포식자의 습격을 받을 위험도 없는 안전하고 배부른 환경. 불확실성이 가득한 자유로운 야생의 환경과 생존이 보장받는 안정적인 동물원 환경 중 이들에게 더 가치 있는 삶은 과연 무엇일지 동물원에 올 때마다 생각하게 된다.

회사에 다닐 때는 사회생활을 하는 주변 사람들 역시 대부분 회사원이었다. 장래 커리어 계획은 승진이나 이직에 관한 것이 전부였다. 급여소득자로서 회사원의 삶을 시작한 이후 앞으로의 내 삶도 그 울타리 안에서 꾸려 나가는 것이 당연하다고 여겼다. 언뜻 공고해 보이는 그 울타리가 무너지지 않는 한 내 삶은 최소한 안전할 것이기 때문이었다. 하지만 그 울타리 속 세상이 나와 맞지 않아 무척 괴롭기도 했고 언젠가 그 울타리 주인에 의해 다른 곳으로 내쳐지는 일이 생길 수도 있었다. 그런 불안의 감정이 엄습하더라도 그 안에서 내가 바꿀 수 있는 것은 거의 없었다.

마침내 스스로 울타리 문을 열고 나온 바깥세상에서 나는 회사원이 아닌 삶을 사는 많은 사람들을 만나게 되었다. 돈을 벌기 위해서가 아니라 좋아하는 일을 하기 위해 새로운 도전을 하는 사람, 삶의 우선순위를 되찾기 위해 회사를 나온 사람, 주체적으로 일하고 정당한 수익을 얻기 위해 사업가의 길을 택한 사람, 일과 육아를 함께할 수 있는 근무 환경을 위해 프리랜서의 길을 택한 사람 등 나와 비슷한 고민의 시간을 거치며 먼저 새로운 세상에서의 도전을 시작한 많은 사람들을 발견했다.

그들은 어떻게 하면 좋아하는 일로 돈을 벌며 살아갈 수 있을지, 어딘가 소속되지 않고 오롯이 자신의 역량으로 다른 사람들에게 어떤 가치를 제공할 수 있을지, 가족이나 건강과 같은 중요한 가치를 지키며 어떻게 평생 지속할 수 있는 일을 만들어 나갈 수 있을지 따로 또 같이 고민하고 있었다. 분명 혼자 가야 하는 외로운 길이라고 생각했지만 커뮤니티나 다양한 모임을 통해 서로 작은 연대를 만들어 나가면서 서로에게 의지가 되고 힘이 되는 역할을 하고 있었다. 이들은 한 줄기씩 따로 흘러가는 작은 물줄기처럼 보였지만 그들이 만들어내는 파도의 규모는 결코 작지 않아 보였다.

변화하는 파도의 흐름에 나 역시 힘을 보태고 싶었다. 나의 역량을 큰 울타리가 아닌 작은 물줄기들을 키우는데 발휘해 보기로 했다. 나는 내 전문분야를 살려 독립한 프리랜서, 1인 사업가, 그리고 스타트업을 빛나게 해주기 위한 홍보와 마케팅 일을 시작했다. 큰 조직에서 나의 역할은 시스템 안에서 대체될 수 있는 하나의 작은 부품에 불과했지만 그들에게는 나의 역할이 미래를 키우고 지속할 수 있는 큰 힘이자 버팀목이 될 것이었다. 나 역시 그들을 보며 혼자 나아갈 수 있는 동력을 얻고 용기를 얻고 있다.

나를 프리랜서라고 부르든 1인 사업가라고 부르든 상관없다. 분명한 것은 이미 많은 사람들이 행복하게 일하며 살아갈 수 있는 환경을 찾아 변화를 만들어내고 있다는 사실이다. 많은 이들이 변화를 위해 한 걸음씩 내딛는 만큼 우리가 바라는 세상은 더 빨리 찾아오고 있다. 내가 있는 세상은 굳게 닫힌 동물원 울타리가 아니라 언제든 나의 선택으로 경계를 넘어 나올 수 있는 열린 바다였다. 내가 멈춰있어도 바다는 끊임없이 파도를 일렁이며 언제나 우리에게 무한한 변화를 재촉한다.

작은 물줄기가 모여 언젠가 바다가 된다. 일어날 일은 이미 일어나고 있다.

매일 조금씩 더 용감해지는 중이야

발행 2024년 05월 15일
지은이 이혜원
디자인 조효빈
펴낸이 정원우
펴낸곳 글ego
출판등록 2019.06.21 (제2019-000227호)
주소 서울특별시 강남구 강남대로 118길 24, 3층(논현동)
이메일 writing4ego@gmail.com
홈페이지 http://egowriting.com
인스타그램 @egowriting

ISBN 979-11-6666-493-9